MICHAŁ R. WIŚNIEWSKI

Jetlag

WYDAWNICTWO KRYTYKI POLITYCZNEJ

Karinie, za wszystko

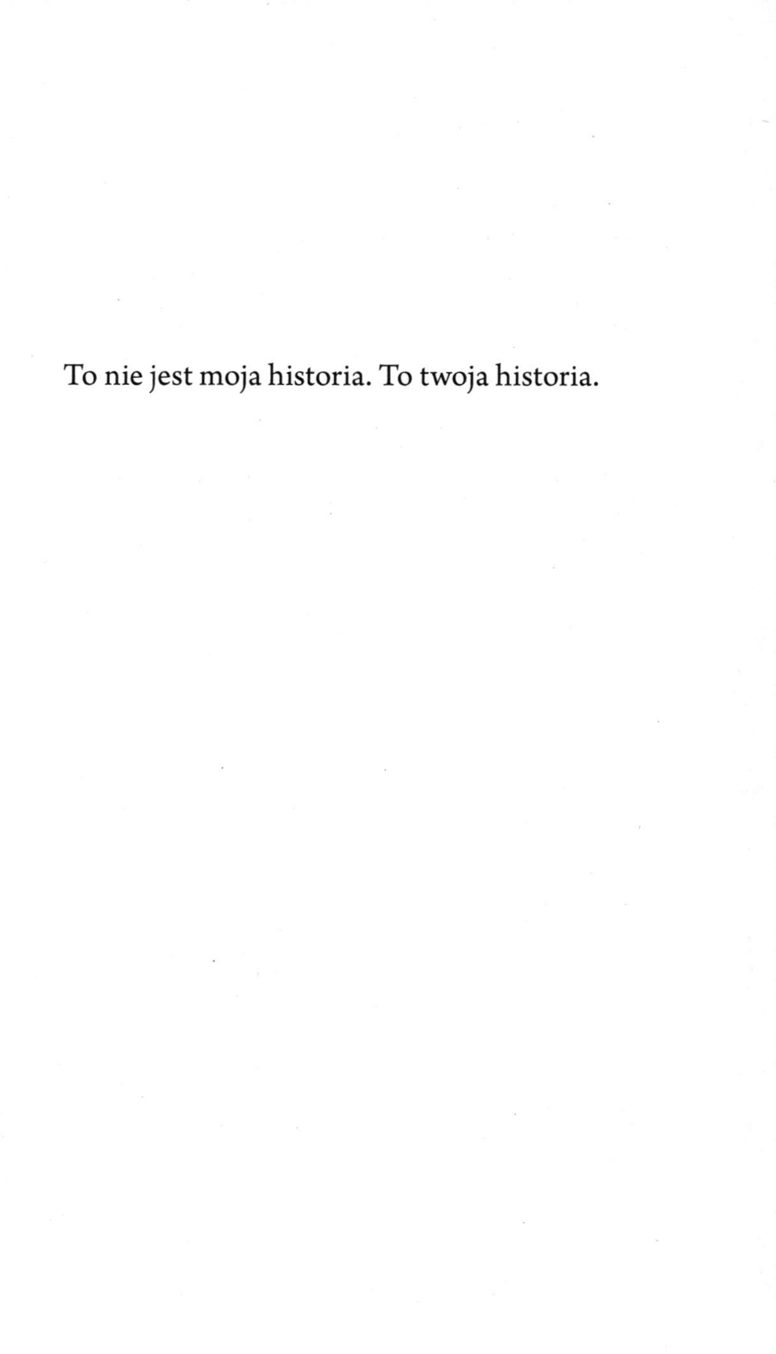

To nie jest moja historia. To twoja historia.

CZĘŚĆ PIERWSZA

1. JEDZENIE ZAMIAST BOMB

To twoja historia i zaczyna się w połowie zdania, znienacka. Kiedy zamykasz za sobą drzwi i złazisz po schodach, co czujesz? Tak, to kapusta. A tamto? Nie zgadniesz, nie opiszesz, bo jak opisać ten dziwny zapach, skumulowany przez lata w ciasnych mieszkaniach? To ostatnie pokolenie mutującego od lat fetoru, arcydzieło odorowej ewolucji. Zamknięte w jednym buchu czterdzieści lat.

Nie myśl o tym, bo się porzygasz, zresztą oto i świeże powietrze. Środek miasta, a nawet nie czuć spalin, drzewa z pobliskiego parku wykonują widać dobrą robotę.

Teraz – optymalna trasa w osiedlowym labiryncie, skrót przez szkolne podwórko, brama jest jeszcze otwarta, przetnij parking, ale nie leź w błoto, ostrożnie, i dalej, między biurowcem i mrówkowcem. Widzisz pizzerię, oddzielają cię od niej dwa pasy jezdni i torowisko. Przejście podziemne, omiń żebraczkę, możesz odwrócić wzrok, podziwiając piękne graffiti – ośmiobitowy, pikselowy bohater. Jakiś wandal napisał mu markerem na czole „SLD = KGB", ktoś inny dopisał „STOP ACTA" i nabazgrał powstańczą kotwicę, która nie wyszła i wygląda jak pośladki. Za kilka dni, zamiast żebraczki, spotkasz tu zakolczykowaną punkową wegankę, której dasz kilka monet do puszki z napisem „food not bombs" tylko dlatego, że wygląda jak Salander; jak to o tobie świadczy, co?

Ale na razie wynurzasz się z podziemi i lawirujesz między budami warzywniaków i kiosków, wprost do oazy gumowego ciasta i kiepskich dodatków. Dobrej pizzy nie podaje się z zestawem sosów w defaulcie, zasada taka, nie? Maczasz więc tę gumolinę w miseczce mazi o smaku czosnku i zapychasz żołądek, popijając przepłaconą colą w butelce Euro 2012. Ciekawe, jak smakuje jedzenie zamiast bomb, myślisz kilka dni później, bo pachnie całkiem ładnie. Ile wrzucasz, na pewno dwa złote, być może złotówkę i chyba pięćdziesiąt groszy, trzy pięćdziesiąt, wdowi grosz studenta, majątek dla bezdomnego, nawet nie poczujesz ich braku.

Naprawdę wygląda jak Lisbeth Salander, nie ta z filmów, ani szwedzkiego, ani tego z Bondem, ale taka, jaką ją sobie wyobrażasz, czytając tomisko podchoinkowego prezentu. Kolczyk w nosie, we brwi, w wardze, ciekawe gdzie jeszcze, co skrywają te wegańskie ciuchy, gdyby tak mieć lotniskowy wykrywacz metalu, jak na filmach, przejechać nim z góry w dół i dookoła, to gdzie by zapikało? Oj, oj, brudne myśli, kulka wstydu zagnieżdża się gdzieś w twojej judeochrześcijańskiej główce i robi takie stuk-puk, jak pomysłowy Dobromir.

Monety uderzają w dno puszki, czas znowu zaczyna płynąć, pod ścianą umalowaną w fantazyjne komiksy i hasło „Chcemy Dać Wam Papu" tłoczą się ludzie głodni jedzenia zamiast bomb; weganie nakładają porcje z kotłów, kłębowisko dredów, chust i szmat z demobilu.

Ładnie pachnie, to jedzenie. Bo jak pachnie Lisbeth (tak ją sobie chrzcisz i tak już zostanie), tego nie wiesz, zbyt krótkie spotkanie, za szybko, zbyt z zaskoczenia; zdradziecki atak, gdy wychodzisz sobie spokojnie z podziemnego kiosku, jeszcze z portfelem w ręce, chowając gazetę, widzi ten portfel i podchodzi z puszką i dredami zebranymi kolorową sznurówką.

I teraz włazisz po schodach starego bloku, z portfelem lżejszym o trzy pięćdziesiąt i z głową pełną dziewczyny, jej dredów, kolczyków, zapachu wegańskiego papu i pewnie nieogolonych pach, bo weganki, feministki i anarchistki chyba nie golą? Czemu w ogóle myślisz o takich rzeczach?

Wtykasz iPoda nano w głośnik w kształcie wściekłego ptaka i przez chwilę to małe, wciąż obce mieszkanie nie jest puste.

To chyba Rafał, tak, Rafał z liceum, on miał jakąś obsesję na punkcie pach, i raz jak tak siedzieliście, cała ta wasza Załoga G, na polance z malboraskami i piwem, to on tak spojrzał w las i takim dziwnie melancholijnym głosem powiedział: „Wiecie, ja to lubię, jak dziewczyna ma nieogolone pachy".

2. ŻYCIE WEWNĘTRZNE

Wyrzucasz do kosza zużytą maszynkę do golenia.

Na ścianie łazienki widać haczyki, na których wisiał kiedyś junkers. Stare budownictwo, cena życia w centrum miasta. Ale nie jest źle, blok odnowiono i podłączono do sieci miejskiej. Przypominasz sobie łazienkę u babci i powracają dziecięce lęki, przerażająca metalowa beczka z wiecznym płomieniem, który zamieniał się w kulę ognia, gdy tylko odkręcało się gorącą wodę. Idziesz zrobić siku, a tam ktoś zaczyna zmywać naczynia, można się obsikać ze strachu.

Ale tu, nad czystym i nowym kibelkiem, nie straszą żadne technologiczne duchy. Jesteś dzieckiem miasta, wymagasz, by wszelkie żywioły były odpowiednio przetworzone i dostarczone w pakiecie. Woda w kranie, piorun w gniazdku, ogień pod kontrolą kurków. Tak, tu wciąż jest gaz, podłączony do dwóch palników małej kuchenki.

Jedyny problem to lodówka, lodóweczka właściwie. Pierwszego dnia łamiesz zapałkę i wciskasz w przycisk lampki, a ta gaśnie. Zostawiasz wtedy otwarte drzwiczki, żeby lodówka nieco się przewietrzyła. Od tego czasu mija tydzień, a wciąż nie możesz pozbyć się odoru. Czy to zapach skisłego mleka, które rozlało się i nie zostało wymyte na czas? Czy zwykły smród starej lodówki, której już nic nie pomoże? Tak jak smród starszych ludzi, żyjących dłużej, niż przewidziały to plany konstrukcyjne, smród, którego nie można okiełznać ani higieną, ani perfumą. Ten zapach tam zostanie. Będzie osadzał się skroplony na parówkach z Lidla i serach w plastrach, na butelce ketchupu i na słoiku sosu curry, którego termin niedługo minie, a wciąż jest pełny w dwóch trzecich, więc stoi.

I wcale ci nie smakuje, jak obiecywało opakowanie.

Wtem tysiąc myśli na minutę, żadna ważna, nic, co warto by zapisać na rachunku w kawiarni ani w pliku untitled.docx, ani w notesie w komórce, ani nawet wypowiedzieć na głos, tylko do siebie, żeby sprawdzić, jak brzmi.

Dzwonisz do Wiktora, żeby stąd uciec.

EUROPEJSKA STOLICA BRAKU KULTURY 2016

3. LATAJĄCE SAMOCHODY

Spóźniasz się trochę, przez zagapienie. Widzisz z daleka, jak Wiktor stoi w bramie i pije. A co on pije, ten Wiktor, myślisz, i na dzień dobry pytasz. Pije wódkę i napój energetyczny. Dlaczego on pije takie niezdrowe rzeczy, i to w bramie, jak jakiś żul, skoro ma dobrą posadę w Korporacji? Bo oprócz tej posady ma także kredyt i nadwagę, więc (twierdzi) żeby się (mówi) najebać, musi zacząć wcześniej i wypić więcej; a taki drink, co go właśnie wciągnął raźno w bramie, w klubie kosztuje trzy albo i cztery razy tyle!

O taki ma ten kredyt, opowiada ci, kiedyś, jak był młodszy, to oglądał filmy o robotach w roku 2019, taka odległa przyszłość z wieżowcami w kształcie statków kosmicznych i cybernetycznych piramid, i pełna oczywiście latających samochodów. Teraz myślami sięga jeszcze dalej w przyszłość, bo w 2019 nie będzie miał latającego samochodu ani spłaconej choćby połowy rat.

Tak kłębi się przez chwilę w głowie Wiktora, gdy dopytujesz się, dlaczego pije w bramie wódkę z energetykiem z Żabki, skoro idziecie do klubu i ledwo dwie ulice, dude, mówisz, chodź, bo zaraz trzeba będzie bilet kupić, taka to będzie oszczędność.

Wieczór zapada z cichym szmerem elektryczności, ale wciąż jest ciepło. W witrynach odbicia, wasze twarze nałożone na puste maski manekinów, człapie ten wielkolud, w czarnych bojówkach i koszuli w jasną kratę, roztaczając woń oldspajsa, a obok ty, patrzysz, nie poznajesz, coś cię gnie do ziemi, więc odruchowo prostujesz plecy, słysząc odległe echo matczynego niegarbsię. Może to grawitacja, a może wstyd, a może tylko patrzysz pod nogi, elementarz miejskiego survivalu, omijanie psich min, bo to przecież centrum, kto tu mieszka w tych niezgentryfikowanych studniach, w tej walącej szczochem bramie, w której Wiktor odstawił swój żulerski spektakl, psie srajce i dzieci obsmarkańce, gówniarze wymieniający się pirackimi kartridżami do pokemonów: oto ostatni bastion niewinności, zanim wskoczą w dresy i zajmą się piciem i paleniem już na pełen etat. Strach, strach tu się zapuszczać, można by pomyśleć, ale się nie boicie, jesteście z miasta, niestraszne wam bramy i ciemne ulice, zwłaszcza Wiktorowi, który już dostał rumieńców i iskierek w oczkach.

– Dude – mówisz – dude, czy ciebie to nie wykończy?

Zastanawiasz się głośno, bo powolutku przypełza takie wspomnienie, gdzieś wyczytane w internecie, o strasznych konsekwencjach spożywania redbulla z wódką, że herzklekoty, że trzy ćwierci do śmierci od zawału i co wtedy, dude, wymawiasz to diud, co wtedy?

– Na coś trzeba umrzeć – i idzie młody, genialny, z podniesionym czołem, o tak, idź, walcz i zgiń piękną chwalebną śmiercią, weekendowy wojowniku, rycerzu ciemnobramski spod zardzewiałego domofonu.

4. OBCY SUFIT

Budzisz się pod obcym sufitem i dopiero po chwili powraca pamięć, jesteś u siebie, dwadzieścia metrów kwadratowych opłacanych co miesiąc, a wraz z nimi biurko (trzy szuflady, z czego jedna rozklejona), stolik ze szklanym blatem (utłuczony na rogu), dwa krzesła na metalowych nogach (niewygodne, trzeba będzie dokupić fotel), szafka na bieliznę i skarpety, podstawka pod telewizor, odkurzacz wyglądający jak transporter z Aliensów i wielka szafa typu komandor z, jak ona to napisała?, „powierzchnią lustrzaną", najważniejszy punkt w całej umowie wynajmu, patrzysz codziennie z lękiem, że jeden nieostrożny ruch i nie dość, że siedem lat nieszczęść, to w dodatku przepadnie kaucja.

Szafa wszystkich szaf ciągnie się przez cały pokój, od drzwi wejściowych aż do okna, lustro umieszczone na centralnym skrzydle czyni iluzję drugiego pomieszczenia, odbitego wonderlandu, który zamieszkuje takie śmieszne stworzenie wyglądające zupełnie jak ty. Siedzisz na łóżku i patrzycie sobie głęboko w oczy, w milczeniu, bo po tylu latach spędzonych razem nie macie o czym rozmawiać, a i niektórych tematów lepiej nie poruszać.

Bul, bul robi ekspres, idziesz wziąć prysznic, zrobić siusiu i umyć zęby, przez małe okienko nad niemiecką pralką wpadają rozproszone promyki, taki ładny dzień, można by wziąć plecak, wyjść, zapakować się w autobus sto siedem i pojechać parę przystanków do

Lidla, nakupować tam sobie pysznych batonów i parę butelek picia o smaku Dr. Peppera, może nawet jakieś danie „na patelnię", żeby zjeść w domu, a nie w maku, takie plany snujesz, szurając szczoteczką, okrężne ruchy, góra i dół. Spłukujesz kranówą o dość wstrętnym smaku, to chyba normalne w środku miasta, te rury stare. Dobrze, myślisz, że nie śmierdzi tak jak ta z Wrocławia, wspominasz delegację. Kawa jest gotowa, taka niedobra woda, a kawa całkiem dobra, jak w którejś powieści Wernica o Dzikim Zachodzie, łazi traper po lesie i parzy kawę z takiej błotnistej wody, a ty sobie myślisz, jaka straszna jest przyroda i jak to dobrze, że żadnych wakacji nie spędzasz na obozie. Nalewasz kawę do kubka z logo Korporacji, piękny zapach niedzielnego poranka.

Krzesło głośno szura o kafelki, kiedy przysuwasz się do biurka. Wczorajsza drożdżówka dzisiejszym śniadaniem, czy też lunchem, bo dochodzi dwunasta, trochę wyschła, więc każdy kęs popijasz kawą, sprawdzając jednocześnie nową porcję śmiesznych obrazków z internetu, akurat na pół chicha, i od razu wiadomo, co się dzieje na świecie. Do tego nocny transfer z torrenta, seriale, jakiś film polecony przez Wiktora; maile (spam) i fejsbuk. Wiktor wrócił najwyraźniej cały i zdrowy, zdążył też wrzucić parę zdjęć z komórki i nawet cię otagował, niewyraźna plama siedząca przy stoliku ze szklanką piwa. Inne plamy są mimo mroku kolorowe i mają kształt zapoznanych dziewcząt, jedna z nich jest już znajomą Wiktora. Przez chwilę zastanawiasz się nad wysłaniem zaproszenia. Ciekawe, czy Salander ma konto? W twoim śnie jej włosy pachniały... czym? Próbujesz uchwycić wspomnienie, ale już znika za winklem, już uciekło, chichocząc jak mały troll.

Krzesło głośno szura o kafelki, gdy wstajesz i idziesz wynorać jakieś czyste rzeczy z szafy. Większość pudeł jest już dawno rozpakowana, ale niektóre wciąż nietknięte zalegają na półkach. Gapisz się na nic nieznaczący napis na koszulce, gdy nagle – dzwonek do drzwi. Przez wizjer widać szpakowatego pańcia, ubranego po domowemu, raczej tubylec. Faktycznie, gdy uchylasz drzwi, przedstawia się, dzień dobry, jako sąsiad z dołu, straszny hałas – mówi – przez to krzesło i te kafle, kto to widział, kafle na podłodze, przecież to jest nie-zdro-we! – już klęczy przy krześle – można dostać reumatyzmu, z uszanowaniem – wyciąga z kieszeni dresu samoprzylepne podkładki pod meble – to się takim echem rozchodzi, że zwariować można – mówi, podklejając krzesło – zwa-rio-wać, jak Boga kocham, reumatyzm murowany.

– Mu-ro-wa-ny, do widzenia, i proszę więcej nie szurać, bo zwariować można, uszanowanie – i tyle go widzieli, klapie kapciami po schodach, i wciąż nie wiesz, co się stało, bo zanim zdążysz otrząsnąć się z pierwszej przerażonej myśli i wizji pękniętej rury zalewającej sąsiada, jest już po całej akcji. KO.

Resztę dnia spędzasz, grając na playstation. A pizza na telefon ma taką zaletę, że kawałek zostanie jeszcze na śniadanie.

5. BOMBERMAN

PRZEMEK siedzi na kanapie, lekko zgarbiony. W ręce ściska pada od konsoli, mocniej, niż to jest konieczne.

Przemek ma dwadzieścia trzy lata. Jest dzieckiem wolności – urodził się 4 czerwca, kiedy w Polsce, *proszę państwa, w Polsce skończył się komunizm!* Jego mama należała do „Solidarności" i chociaż nie odegrała w niej większej roli, była jedną z milionów tych, którzy posłuchali słów papieża i przygotowali się na przyjście ducha odnowienia. Na każde urodziny piecze synowi tort udekorowany białym i czerwonym lukrem, wystarczy dodać soku wiśniowego do cukru pudru, i pisze na nim „mam iks lat" solidarycą. Mieszkają razem, jak Kangurzyca i Maleństwo, bo tatuś dawno temu rozbrykał się, taki Tygrysek, i tyle go widzieli.

Słuchając opowieści mamy o tamtych przerażających czasach, kiedy panowała wieczna zima, a po ulicach jeździły czołgi ZOMO, Przemek czuł, że niewłaściwie korzysta z tej wolności. Uginał się pod jej ciężarem. Uznał, że mógłby zrobić więcej, bardziej, lepiej. Wyśrubowywał wyniki lekkoatletyczne i średnią w szkole, zawsze czerwony pasek, nagroda książkowa, uścisk ręki dyrektora, zamglony wzrok ciała pedagogicznego, zwłaszcza, od niedawna, pani od biologii, smutnej młodej dziewczyny ledwo po studiach.

Tyle pokładanej wiary, rozbuchanej nadziei i matczynej miłości poszło na marne, gdy na miesiąc przed maturą przeżył załamanie nerwowe i zamknął się w sobie. Ambicje? A co jeśli czyjąś ambicją jest grać cały dzień w Bombermana?

Oto Przemek, w rozciągniętej koszulce, która kiedyś miała jakiś napis, a może obrazek, ale dawno się sprał. Nie chce od życia wiele, ot, po prostu siedzieć sobie na wygodnej sofie, opychać się pizzą i grać w Bombermana. Ma jakąś pracę, to dobry chłopak, nic wielkiego, jakieś strony robi i nie musi wychodzić z domu, tyle, żeby dołożyć się mamie do czynszu. Popuka parę godzin w klawiaturę, poklika myszką i może wracać do gry. Nie ma dziewczyny, bo to za dużo ambarasu, zresztą w swoim bombermanowym szale przestał interesować się seksem i nawet już nie wchodzi na redtube.

Nigdy się nie spotkacie, nigdy nie dowiecie się o swoim istnieniu. Dzielą was kilometry światłowodu, łączy zaś ślepy los maszyny losującej graczy do bitwy online na serwerze sieci playstation. Nigdy nie dowiesz się, co czuje Przemek, kiedy wygrywasz z nim mecz w Bombermana.

Przemek ma dwadzieścia trzy lata, ale kiedy leży zalany łzami, wtulony w poduszkę, wygląda jak małe dziecko.

6. SERIALE NA PENDRAJWACH

Korporacja zajmuje kilka pięter nijakiego budynku, ledwo trzy przystanki tramwajowe plus mały spacer stąd. Wsiadasz z kubkiem coffe-to-go z sieciowej piekarni, wybierając wolne miejsce za kimś, kto ma w miarę neutralny zapach, iPod tłumi głosy pasażerów, poranne słońce razi w oczy i przeszkadza w przeglądaniu sieci w telefonie. Tramwaj staje na czerwonym, na trawiastej wysepce pośród asfaltu; za oknem starszy facet obserwuje swojego psa-srajdę, po czym wyciąga z kieszeni woreczek foliowy, no proszę, co za porządny człowiek, a wygląd ma emerytowanego dresiarza! Schyla się, przykrywa kupę folią, i wtedy już bezpiecznie może kopnąć ją z wydeptanej ścieżki w mały wąwóz torowiska.

W pracy robisz na komputerze różne rzeczy, od których rośnie PKB. Rzeczy, o których nie mówisz nikomu. Raz, że klauzula tajności, dwa, że są cholernie nudne dla zwykłych ludzi. Trzeba się pilnować, mieć świadomość własnej nieatrakcyjności, jeden nieuważny krok i lądujesz z łatką nudziarza, jako dobijający czterdziestki prawiczek, powtarza Wiktor. W sumie lubisz swoją pracę, od zawsze chcesz robić w komputerach, od programu przepisanego z „Bajtka" na commodore 64, chociaż wtedy przyszłość wyglądała zupełnie inaczej. Pewnie ludzie robiący gry o strzelaniu ptakami w prosięta bawią się lepiej, ale musi brakować im tego poczucia powagi, że to, co robią, jest ważne dla świata. To twoja cała inżynierska satysfakcja. Wiktor, który pracuje w sąsiednim zespole, czuje to zupełnie inaczej, marzy mu się sława tego kolesia, co wymyślił gry o Mario albo przynajmniej fejsbuka; nawet jeśli nie film, to notka w wikipedii, raz tak się przyznał przy piwie, zobacz, ile warta jest nasza robota, tyle co hydraulika, nawet aktorzy porno mają hasła w wiki, a tacy jak my nie. W ramach hobby Wiktor dłubie jakąś grę na iPhone'a, ale nikt jej nie widział i może tylko tak gada, żeby zaimponować kolegom z działu. Siedzą tu jak świniaki w chlewie, a marzy im się wystawa kotów.

Maile – do kosza, pilne i arcyważne, nie masz nawet kiedy zajrzeć do śmiesznych obrazków z internetu. Czas na trzecią kawę – w pomieszczeniu socjalnym panuje poniedziałkowy szok i niedowierzanie, twarde lądowanie po weekendzie. Ludzie kłębią się przy ekspresie i mikrofalówce. Przy stole fani seriali wymieniają się pendrajwami, bardziej dla utrzymania społecznej więzi niż z potrzeby, przecież każdy ma internet i może sobie ściągnąć, chyba tylko laski z haerów nie umieją nastawić torrenta, ale ten trenowany od lat rytuał wymienimy-się-pożycz jest o wiele przyjemniejszy.

Wiktor dopiero wcina śniadanie, kanapkę ze sklepu na dole, siorbie herbatę i czyta „Metro", nagłówek krzyczy o rozpoczęciu budowy elektrowni atomowej im. Jana Pawła II i związanych z tym protestach przed urzędem miejskim. Zerkasz na zdjęcie, próbując doszukać się na nim swojej Lisbeth, ale nie widać jej w grupce przebranej za popromienne mutanty. Jakaś dziewczyna demonstruje toples, z doczepioną trzecią piersią. Wiktor prawie turla się ze śmiechu.

– Przecież to jest – mówi, nie przerywając siorbania – moja największa fantazja, trzy cycki, po jednym do łapy i jeden do papy, to ma być argument przeciw?

Zaraz do rozmowy przyłącza się Chyba Marek z działu Wiktora, chudzielec o wyglądzie studenta, w koszulce z Darthem Vaderem podpisanym japońskimi znakami, gadają z Wiktorem o jakimś starym filmie z Arnoldem Schwarzeneggerem i trójpiersiastej prostytutce z Marsa, i że będzie remake w tym roku, i ciekawe, jak bardzo spieprzą.

– Znasz? No na pewno, jak można zapomnieć taki widok?

– Nie masz pojęcia, ile można zapomnieć – nie mówisz tego na głos.

7. W POGONI ZA ANNĄ

– Znałem na studiach kolesia – opowiada Wiktor, opychając się kanapką od Pana Kanapki, gdyż jest lunch – który zapoznał na disco pannę i zabujał się w niej jak ostatni gimbus. To było, przypominam młodszym kolegom – wyzłośliwia się, odkąd okazało się, że dwudziestolatki nie wiedzą, dlaczego na aparat fotograficzny mówi się małpa – w czasach, jak nie mieliśmy jeszcze fejsa w komórkach...

– I kolorowej telewizji – dodajesz.

– ...i kolorowych komórek, nie, więc on w ogóle nie miał ze sobą komórki, bo poszedł w obcisłych dżinsach i mu jakoś głupio kieszeń wypychała, no w każdym razie nie miał i zapisał jej numer sobie na ręce. Jak się zbudził rano i wlazł pod prysznic, bo oczywiście capił straszliwie, normalne po takim party hard, i zaczął szorować, i jak nagle do niego dotarło, to tak tylko zawył – Wiktor rozkłada ręce i robi minę, jakby krzyczał „kuuuuuuuu!" – że cały akademik się zleciał na nasze piętro.

– To strasznie smutna historia – zauważa Chyba Marek.

– No nie aż tak, więc nie miał jej numeru i jedyne w sumie, co wiedział, to że ona ma na imię Anna. Anna! Rozumiecie, więc co zrobił, poszedł do swojej fumfeli z architektury, która była taką artystką trochę, nawet kiedyś na festiwalach ulicznych się rozstawiała i rysowała ludzi za pieniądz, no i wziął jej opowiedział, jak ta laska wyglądała, tyle co pamiętał, więc mu nasmarowała taki szkic, jak policja robiła, zanim dostali ten cały sprzęt z CSI Kac Vegas i kamery satelitarne z ekstra zoomem, ha ha, i wziął ten portret pamięciowy, zrobił dopisek i odbił na ksero, tam zaraz koło akademika. Potem chodził kilka dni i rozwieszał, gdzie się dało, zdjęcie i wyznanie miłosne, i prośba, coby zadzwoniła, taki książę, co kopciuszka szuka.

– To strasznie wzruszająca historia – wnosi Chyba Marek.

– No nie aż tak, a skończyło się, że zadzwoniła do niego jedna laska, która była tej całej Anki jakąś psiółą czy inną kuzynką, i się okazało, że ona to do jakiejś Ameryki na studia pojechała, a może do Jukeja... No i on się tak z tą panną rozgadał, że mu cała szczenięca miłość do Anki przeszła i zaczął się z tą kuzynką spotykać.

– Popatrz, jakie niezbadane są wyroki – cmokasz z udawanym niedowierzaniem.

– Ale długo ze sobą nie byli, bo ona się straszną zołzą okazała – kończy Wiktor, dopija kawę i wraca do swoich zajęć.

– Kobiety – wzdycha Chyba Marek, marszczy czoło i człapie za Wiktorem.

A ta Anka to wróciła potem? – chcesz zapytać, ale już sobie poszli, a potem zapominasz o całej historii, pochłania cię Bardzo Trudny a Pilny Problem, który przyszedł służbowym mailem.

Po co on to w ogóle opowiadał?

NIE STAĆ CIĘ NA MARZENIA

8. DEAD DROP

Po berlińsku żółty tramwaj wiezie cię do domu. Przystanek, przejście podziemne, dziś nie ma tam nikogo, kiosk jest już zamknięty, sklep z ciuchami ma zasłonięte żaluzje, zombie apokalipsa w samym sercu miasta. Graffiti, strupy plakatów, bawisz się przez chwilę myślą, żeby przykleić tu list miłosny do Lisbeth, taka kartka A4, hej dziewczyno, nie wiem, jak Ci to powiedzieć, (no właśnie, jak, balansujesz między zażenowaniem i banałem, wstydem i zakazem), to może wydawać się szalone, tu masz mój numer, zadzwoń może, i już za późno, już fala zażenowania rozlewa się po całym ciele, skurcz w żołądku, rozbiegany wzrok, myśli cementują się w głowie, bang, nie uciekniesz, nikt nie ucieknie przed ruminacjami, znasz to słowo z wikipedii, „rodzaj obsesyjnych myśli charakteryzujący się ciągłymi wątpliwościami co do jakości i faktu wykonanych czynności", taka erudycja, owoc bezsennej nocy.

Zamiast zmykać na powierzchnię, łapiesz się ściany, opierasz się o plakat koncertu jakichś nieznanych kapel, co to za gatunek w ogóle, i oddychasz głęboko; błąd, bo wali szczochem, ale to nic, wszystko, żeby się odblokować, śledzisz spękania na pokrytej kolorową farbą ścianie, gdy dostrzegasz kawałek świeżego cementu, z którego wystaje końcówka USB.

Dead drop.

Antysieć, zaprzeczenie rozproszenia, pisali o tym na którymś technoportalu, najnowsza zabawa cyberhipsterów. Wmurowuje się w ścianę pendrajw, że wystaje tylko wtyczka, i zostawia na nim plik z wiadomością. Każdy może przyjść z laptopem i ściągnąć zawartość, dorzucić coś od siebie. W internecie jest baza danych z ich lokalizacją, ale ostatnio najbliższy był w Berlinie, na Kreuzbergu. Trzeba tu wrócić z komputerem, zżera cię ciekawość.

Po pięciu minutach wbiegasz po schodach, w pośpiechu mocujesz się z drzwiami, włazisz do środka i nie ściągając butów, pakujesz laptopa z biurka do torby na ramię. Jeszcze tylko przedłużacz do USB, tak zalecali w tamtym artykule, żeby nie wyłamać gniazda podczas wtykania laptopa bezpośrednio do ściany. Przeszukujesz szuflady, aż wreszcie znajdujesz szary przedłużacz – był w komplecie z jakimś starym modemem – w białym tekturowym pudełku podpisanym flamastrem „biurko – szpargały", skłębiony z kablem zasilacza od nieistniejącej już nokii i tanimi dousznymi słuchawkami na małym jacku, które dawno powinny były pójść na elektrośmieci, ale trzyma je tu ułuda, że je kiedyś polutujesz. Kiedyś wszystko się lutowało, przypominasz sobie profesora z polibudy, opowiadał o „etosie inżyniera", co umie zlutować, dokręcić i naprawić rurę w kiblu. Straszne czasy.

Wracasz ze sprzętem do dead dropa. Laptop budzi się powoli, podłączasz kabel, tracisz kolejną chwilę, czekając, aż wykryje nowy sprzęt i przeprowadzi skan antywirusowy. Jest czysto, można zaglądać. System podpowiada opcje, klikasz na „wyświetl zawartość". Jest tu kilka plików, *readme.txt* od założyciela, księga gości w *logbook.txt,* parę jotpegów, jakiś pdf, nieduży plik wideo i paczka mp3. Tworzysz na pulpicie folder *deaddrop,* a potem kopiujesz do niego wszystkie znaleziska.

Para gimnazjalistek na twój widok nerwowo przyśpiesza kroku.

W ostatniej chwili przed rozłączeniem przypominasz sobie, że wypada zostawić coś od siebie. Wpisujesz się do *logbook.txt,* a potem wchodzisz do Biblioteki – obrazy – zdjęcia – z telefonu, zeszłotygodniowa fotka: podwórkowa kotka leżąca na samochodzie parkującym pod szkołą. Udaje, że śpi, ale nastroszone uszy zdradzają czujność.

9. DSCN2137

Tuż za rogiem jest kawiarnia, przyjemna lokalna sieciówka, w której kupujesz dostęp do wi-fi w cenie waniliowego donata i kubka spicy maple latte grande. Długa, niska ława oddziela dwie kanapy, zajęte przez studentki, które przyszły się pouczyć, ale na razie piją kawę i zajadają się ciastem, choć dla zachowania pozorów rozłożyły już notatki. Przy okrągłym stoliku siedzi parka, trzymają się za ręce i, jak to parka, coś tam poszeptują, nie słyszysz co; dwa fotele zajęły kobiety w średnim wieku, ubrane zgodnie z korporacyjnym dresscodem, obgadują koleżanki.

– Bo tego nie można jej ujmować, ma fajne zachowanie.

– Tam już nie ma takiej przyjaźni. Tak siedzą wszyscy i fajnie, ale nie ma takiej przyjaźni.

Zajmujesz wolny fotel z widokiem na ruchliwą ulicę. Skubiesz widelczykiem pączek, podsiorbujesz kawę i przeglądasz zawartość katalogu. Po kolei, a więc *readme.txt*, czytasz go zgodnie z poleceniem; w środku obok informacji na temat inicjatywy dead drop znajdujesz ksywkę i datę instalacji: niejaki Togusa założył go dwa miesiące temu.

Najpierw jotpegi, według daty w pliku wrzucone razem; zdjęcia z jakiegoś klubu, jednego z tych, które omijacie, na fotkach ludzie siedzą w lożach i uśmiechają się, robią głupie miny, pokazują, jak dobrze się bawią, wymachując szklankami i butelkami. Zupełne nudy, gdyby nie ostatnia fotka, zrobiona w damskim kiblu, postać w czarnej koktajlówce siedzi na zamkniętej toalecie, na głowie ma wielką maskę królika, taką jak amerykańskie maskotki futbolowe. Autor zdjęć nieznany, z metadanych pozostał tylko ślad aparatu marki Nikon, nazwy plików to seria kolejnych numerów, choć między ostatnim zdjęciem bywalców a fotką dziewczyny na kiblu brakuje dwóch liczb.

Animowany gif, jakich pełno w internecie, fragment filmu, którego nie rozpoznajesz. Młody mężczyzna mówi coś do pięknej rudej dziewczyny, która patrzy nieobecnym wzrokiem w dal. Gify nie mają dźwięku, więc widzisz tylko, jak aktor porusza ustami w niemym kinie, a ruch jego warg zgadza się z napisem nałożonym na dole kadru: „Today I would rather fall in love with a washing machine than a woman". To pewnie jedno z tych ambitnych dzieł, przy których zasypiasz, zbłądziwszy czasem na TVP Kultura.

Dokument o przydługiej nazwie *moje przeslanie do wspolczesnych trzydziestolatkow.pdf* zostawiasz sobie na później.

Paczka empetrójek, podłączasz więc słuchawki od iPoda, dokańczasz donata, to jakiś studencki psikus, fragmenty nagranego wykładu; znużony męski głos na tle cichego gwaru i szurania, trochę to rozczarowujące.

Klikasz więc na plik wideo. Nagrana komórką scena z placu zabaw. Mała dziewczynka w żółtej kurtce siedzi na koniu na sprężynie, a stojący obok mężczyzna huśta go nogą. Trwa tylko piętnaście sekund, ale dopiero po dłuższej chwili orientujesz się, że masz włączone zapętlanie.

Kupujesz jeszcze jedną kawę, nerwowo zerkasz w stronę zostawionego na stoliku laptopa, a potem wysyłasz Wiktorowi zdjęcie dziewczyny w króliczej masce.

10. NIEBIESKIE LATO

Nie myślisz o Wiktorze jako o przyjacielu, przyjaźń to takie mocne słowo, prawie jak „kocham", chociaż „kocham" jest łatwiejsze, bo jest tyle piosenek o miłości, a o przyjaźni? Krzysio Antkowiak z czarno-białego telewizora, ulizany goguś piszczący falsetem w Teleranku, zagraniczne się nie liczą, tam friend oznacza znajomego z fejsbuka. Ten Krzyś i jego piosenka przypominają ci lato 1988, krótkie portki, krótkie włosy, niekończące się wakacje na blokowisku, zasikana piaskownica i trzepak obok śmierdzącego chlorem śmietnika. I chłopaki z leningradów, co do jednego atarowcy, którzy przychodzili na wasze podwórko rzucać kamieniami i wyzwiskami, bo tak się złożyło, że tu wszyscy jak już coś mieli, to commodore, poza Koreczkiem, synem kierownika, który miał ZX spectrum, a może timexa? Gumowa klawiaturka z dziwnymi napisami, wszyscy się z niego śmiali, że ma klawisze z erosków. Koreczek był do tego mały i trochę dziewczęcy, trzymał się na uboczu, tak jak ty, więc zaczęliście trzymać się razem, miał blond loczki i imię, którym nikt się do niego nie zwracał, tylko ciągle tym nazwiskiem przekręconym, a im bardziej się z niego śmiali, tym bardziej on do nich się kleił, taki magnetyzm gówniarski. I tego lata 1988, pamiętasz, czy to był wtorek, co leciało w telewizji, teleferie jakieś, wyszliście potem na podwórko i zobaczyliście, że ktoś na śmietniku czarną farbą narysował szubienicę, a na niej logo commodore, wielką literę C ze znakiem równości. Maciek, co był podwórkowym samcem alfa, okrutnie się wkurzył i zaczął planować zemstę, liczyć skoble i kapiszony, bo przechodził wtedy commando i wkręcił się w wojnę. Ale wtedy Mateusz powiedział, że ma w piwnicy farbę, i zanim Maciek przestał się nakręcać, wrócił z tą farbą, czerwoną, i pędzlem, i mówi, że wyprawa komandoska i żeby kogoś wysłać na leningrady, żeby im napisał „atari huj". I wtedy Koreczek, Koreczek zgłasza się na ochotnika, łapiesz go za rękę, że nie, nie rób tego, ale on już postanowił, już idzie, żegnany oklaskami, przemyka się między żywopłotami i rabatkami, w stronę obcego blokowiska.

I potem Maciek, Maciuś, który poszedł za nim, żeby wszystko nadzorować, jak porządny kapitan, opowiadał, że jak wykonał misję, że jak go gonili, że jak tak biegł, taki mały, taki szybki, zgubił farbę, pędzel, mieli takiego swojego zwiadowcę, Tomczaka, co był sprinterem z klasy sportowej i prawie go dogonił, tylko że Koreczek, mały, zwinny Koreczek, wyrwał mu się zwodem, prosto pod autobus.

Maciuś od tego czasu strasznie się zmienił; stał zgarbiony i milczący na pogrzebie, i już się nie wyprostował, snuje się do dziś, garbaty i wychudzony, po tym starym osiedlu, gdzie wciąż mieszka z rodzicami.

11. CAŁA PŁYTA

Może Wiktor nie robi wrażenia na pierwszy rzut oka, ale ma podejście do dziewczyn. Wychodzi mu to naturalnie, nie kończył żadnego kursu alpha male; po prostu jest sobą, toczy się przez życie z gracją kuli katamari, zbierając wszystko po drodze. Ot, rzuci jakąś uwagą od niechcenia, i już wszystkie panny robią „uuu!".

Tylko zobacz, jak siedzi, jakby był siedzeniem, ideą siedzenia, obrazkiem z hasła „siedzenie" w wikipedii, po prostu centrum klubu i wszechświata, studnia grawitacyjna, do której wpada cała uwaga otoczenia. Kończy jedną ze swoich anegdot, dziewczyny chichoczą, a w sąsiedniej sali DJ przechodzi płynnie z Depeche Mode na The Cure. Taka tu leci muzyka, dla studentów z pożyczoną nostalgią i ludzi, którzy przychodzą tu od dziesięciu lat, zamiast znaleźć sobie inne miejsce, takie, gdzie chodzą starsi panowie, z koszulami w spodniach i tlenionymi cycatymi trofeami z darmowym wstępem.

Blondynka z różowym pasemkiem kiwa nogą w takt *Just like heaven*, a potem opowiada, że jej były, o którym, jak panny wyjaśniły na początku, próbuje dziś zapomnieć, stracił dziewictwo przy tej piosence.

Wiktor uśmiecha się tym wiktorowym uśmiechem i mówi, że to zabawne, bo on też, „przy całej płycie". „Uuu!" robią dziewczęta i chichoczą, a Wiktor niewzruszony zaczyna kolejną opowieść, którą znasz na pamięć, bo opowiadał ją warzylionom dziewczyn.

A kiedy wracasz z ubikacji, widzisz, jak Wiktor i blondynka z różowym pasemkiem wyciągają komórki i dodają się na fejsie. Patrycja Poręba („mów mi Patsy"), wysyłając inwitkę do Wiktora „Wikthorgala" Pasika, nie wie jeszcze, że zdała właśnie najważniejszy test tego wieczoru. Wiktor wychował się na komiksach o superbohaterach i swoją pierwszą poważną erekcję przeżył na widok Vicki Vale, dziewczyny Batmana. Od tego czasu miał słabość do Kim Basinger, a także rozwinął mały fetysz wobec dziewcząt o aliteracyjnych nazwiskach, wiesz, jak Susan Storm, żona Richarda Reedsa, albo Lois Lane, ukochana Supermana. To nie znaczy, że odrzuca inne, gdy nadarza się okazja, a nadarza się, no nie, normalnie kręcą go cycki czy nogi, czy co tam jeszcze lubią chłopcy, przecież dziewczyna Spider-Mana nazywa się Mary Jane Watson, tyle że jest ruda, a rudym wolno więcej, ale wiesz, te dwie litery, one są lepsze, one są lepsze niż to wszystko inne. Dziewictwo stracił z Basią Baczewską, nieśmiałą fanką The Cure. A Agata Adamkiewicz złamała mu serce.

Opowiedział ci o tym wszystkim, „moja Bebe, kochana była, cudowna, taka szkoda, taki żal, młody głupi, stary jeszcze głupszy", a potem „ta zdzira jebaniutka, wychujała mnie, oszukała, zdradziła, jakbym spotkał, to nie wiem, kurwa mać, zawału bym dostał, ja pierdolę", kiedyś, kiedy za bardzo się upił. A potem upił się jeszcze bardziej i próbował cię pocałować, potem nic nie pamiętał, więc nigdy o tym nie rozmawialiście, zresztą – najebał się, co tu drążyć.

12. CHUDY DRAŃ

Teraz Wiktor słucha, a Patsy opowiada o tym draniu. Pięć lat na niego zmarnowałam – jest już po kilku drinkach z palemką i głos jej się trzęsie, chudy sukinsyn, jak już mieszkaliśmy razem, siedział tylko na kanapie i grał w gry, a ja chodziłam do pracy, czynsz, wynajem, rachunki, żarcie, wszystko na mojej głowie, coś tam czasem zarobił, pisał jakieś rzeczy w internecie, o śmiesznych filmikach, jakieś cojapatrze, pamiętacie tego kota? On go odkrył pierwszy na kwejku i opisał, a w ogóle to pracował nad powieścią, pisarzem był, ale mi nie chciał pokazać, myślałam, że może się wstydzi czy coś, a potem Zuza (Zuza salutuje szklanką) mi mówi, że on pewnie ma depresję, dlatego tak nic mu nie idzie, bo faktycznie, taka apatia, nawet nie sprzątał po sobie, zupełnie zero null, i tylko te gry, Wiktor, ty lubisz gry? Absolutnie nie, kłamie Wiktor, bo czasem trzeba kłamać. No i Zuza (Zuza salutuje szklanką) załatwiła kontakt do dobrego lekarza, i po znajomości, i po taniości, w przychodni zdrowia psychicznego, i go namówiłam, mówię, Sławeczku (chuju, gnoju, skurwielu – krzyczy w środku), no pójdź, zbadaj się, nic nie szkodzi, ja zapłacę, no i poszedł, i co się, kurwa, okazało, nie miał żadnej depresji, tylko był głupi i leniwy! Dasz wiarę?

Wiktor ze zrozumieniem gładzi Patsy po dłoni, a Zuza tuli się do pleców przyjaciółki. Asia i Kasia (a może Jasia i Stasia? Basia i Joasia?), które z nimi przyszły, od kwadransa obtańcowują jakichś studentów na parkiecie, Red Hot Chili Peppers śpiewają *Californication*. *Californication* to ulubiony serial Wiktora.

Siedzisz z boku, obserwujesz to całe przedstawienie zza pustej szklanki, Zuza kończy tulaska i rezolutnie kiwa głową. Podsuwa się w twoją stronę, żeby zrobić miejsce dla rodzącego się uczucia Wiktora i Pat. Mężczyzna z przeszłością, kobieta po przejściach.

Szturcha cię w bok i pyta, czego się napijesz. Spod czarnej grzywki patrzą na ciebie oczy chochlika, mrok klubu skrywa pierwsze oznaki starzenia. Bez krępacji, mówi Zuza, mój mąż jest dziany.

– Tak? W takim razie poproszę rum z coca-colą.

Zuza znika w tłumie kłębiącym się pod barem.

Wraca po dziesięciu minutach trwających wieczność, Asie wciąż okupują parkiet, a Wiktor okupuje Patsy.

POETA BRZMI LEPIEJ NIŻ BEZROBOTNY

13. DŁUGOŚĆ DŹWIĘKU SAMOTNOŚCI

– Długo znasz Wiktora? – pyta Zuza parę dni później, gdy siedzicie pod zielonymi kocykami w ogródku hipsterskiej knajpki, czekając na koncert. Patsy przysłała właśnie esemesa, „soraski nie przyjdziemy luv bawcie się dobrze", trzy buziaki z dwukropka i gwiazdki.

– Od kiedy pamiętam – odpowiadasz. – To dobry chłopak – uprzedzasz kolejne pytanie.

– Uhm – Zuza przygryza wargi. – Głupio by było, gdyby zrobił coś przykrego Patrysi, rozumiesz, ta dziewczyna jest teraz pod moją opieką, musiałabym dokonać pomsty – w oczach chochlika tańczą wesołe, diabelskie ognie, i wiesz, że zemsta byłaby nieunikniona i wykonana z wyjątkową precyzją.

Chwilę rozważacie, siorbiąc piwo, czy lepiej będzie brzmiało „Wiktsy" czy „Patktor", chyba nie, na obu można połamać język. Zastanawiasz się, czy mówić Zuzie o tym, jak Agata A. skradła słońce z Wiktorowego serca i na długo zostawiła tam ziejącą czarną dziurę, ale właśnie do waszego stolika podchodzi gwiazdor wieczoru, by zainkasować pięć złotych od łebka za bilet. Zuza daje mu dwie dychy, „na wsparcie sztuki", gwiazdor kłania się i obiecuje specjalną dedykację.

Przez chwilę milczycie, zapominacie, o czym była rozmowa, z sąsiedniego stolika przebija się gwar miejskich artystów (dziury w uszach, dziary, gdzie się da, ciuchy z sieci Dres&Kloszard), planujących wyciągnięcie dotacji na jakiś performance. Rozglądasz się dookoła, przez chwilę wydaje ci się, że w niewielkim tłumie hipsterów i wegan, którzy nie załapali się na miejsca siedzące, widzisz Lisbeth, ale to tylko złudzenie, gra cieni. Napotykasz wzrok dziewczyny w makijażu Amy Winehouse i zaczynasz myśleć o klonach Elvisa.

Zuza widzi, że odpływasz, więc przywraca cię do rzeczywistości przyjaznym szturchnięciem. Zapala się jupiter, na prowizorycznej scenie na starym krześle siedzi niepozorny typek i trzyma ukulele. Brzdęka od niechcenia w struny, aż milkną wszystkie szmery, wtedy wstaje i kłania się w pas, „dobry wieczór, niech przemówi muzyka".

Koncert „Największych Przebojów Myslovitz Na Ukulele" rozpoczyna się od przeciągłego „I nawet kiedy będę sa-aaa-am!", ale nie ma w tym żadnej kpiny czy ironii, wykonanie jest czyste i szczere, a dźwięk małej gitarki w przedziwny sposób rezonuje z muzyką duszy, wyciąga nastoletnie, niezaleczone emo. Weganie i hipsterzy są zachwyceni, bo od dawna nie obcowali z niczym tak autentycznym. I kiedy po godzinie na bis idzie powtórka piosenki otwierającej występ, wszyscy razem śpiewają o chemicznym świecie pachnącym szarością.

– Z papieru miło-ścią! – drze się Zuza, która pachnie tęczą.

14. ORBITOWANIE BEZ CUKRU

Zuza nie żartowała, naprawdę ma męża, przeglądasz sezam jej fejsa, który otworzył się magicznym zaklęciem zafrendsowania. Ślubne zdjęcia, łysy koleś o tępym spojrzeniu, faktycznie musi być dziany, marynarz, oficer, ślub brał w mundurze, Zuza na foci młodsza o parę lat, z zepsutą fryzurą, nie wygląda tak fajnie z odsłoniętym czołem, za to w ślicznej sukience, jak porcelanowa laleczka. Co netykieta mówi o lajkowaniu zdjęć sprzed kilku lat?

– Ej, nie mówiłaś, że masz dziecko – rzucasz temat, gdy jecie na lunch wegański kebab w sieciówce Wegejedzonko. Zuza nie jest wege, ale lubi czasem uzupełnić zapas organicznych witamin.

Zanim odpowie, wyciera usta wielorazową chusteczką z logo Wegejedzonko i udaje, że robi poważną minę, ale oczy chochlika znów ją zdradzają.

– Nauczona przykrym doświadczeniem! Kiedyś z Patsy i Asiami prawie poderwałyśmy takich fajnych chłopców z zespołu, przystawiał się do mnie taki śliczny gitarzysta, młodziutki, a jakie komplementy prawił, ho ho, i pewnie bym przeżyła piękną przygodę, gdybym nie chlapnęła o dziecku! Wiesz, że mam męża, to by mu nie przeszkadzało, ale jak usłyszał „dziecko", to okręcił się o trzysta sześćdziesiąt stopni i wymoonwalkował z sali!

Nie wiesz, czy zmyśla, i nie wiesz, co powiedzieć, więc uśmiechasz się i chrupiesz prażoną kaszę gryczaną. O dziwo, jest całkiem smaczna.

Zuza moczy usta w soku marchewkowym i zaczyna opowiadać o filmie, który kiedyś widziała, miał taki głupi polski tytuł z reklamy gumy do żucia i grała w nim Winona Ryder, i ona tam miała takie problemy, mówi Zuza – dylematy, rozumiesz, jakie mogą mieć tylko dziewczyny z pokolenia X, i wtedy zrozumiałam, że ja jestem, do licha, milenialna jak muffinka, nas nie stać na to, żeby nie być cynicznymi.

– Uhm – kiwasz głową, chociaż nie rozumiesz połowy jej słów.

– Poznałam Piotra w liceum i od razu dobrze rokował, zawzięty był, wyznaczone cele, prosty człowiek na prostej drodze.

A to doskonale rozumiesz, mimo paru lat różnicy. I martwisz się jedynie, gdy dostrzegasz, że ogniki w oczach chochlika zgasły. Żeby zmienić temat, wyciągasz z kieszeni telefon i opowiadając o skarbach z dead dropa, pokazujesz jej zdjęcie dziewczyny w króliczej masce.

– Ha ha, kojarzę ten kibel. Pójdziemy tam? Do klubu, znaczy? – I gdy zaczyna nucić piosenkę *Agnieszka już dawno tutaj nie mieszka* zespołu Łzy, w jej oczach znów płonie ogień.

15. ZUPEŁNIE JAK W NIEBIE

BARBARA Czarnocka siedzi przy biurku w openspejsie. Ma na sobie białą bluzeczkę, przez którą delikatnie przebija stanik. Żakiet zostawiła na wieszaku.

Patrzy przez okno biurowca na chmurki leniwie przemykające po niebie i przez ten moment nieuwagi nie trafia z Worda do Excela. Całą robotę trzeba powtórzyć od nowa, wzdycha i postanawia zrobić sobie przerwę, kawa, kawa, gdzie jest kawa. Niebo, niebo, myśli, i nagle zaczyna grać jej w głowie dawno zapomniana piosenka. Zamiast do kuchni skręca szybko do damskiej toalety i zamyka się w pustej kabinie, oddychając głęboko i powstrzymując łzy.

Najpierw wypili wino, butelkę i pół, a potem zapaliła świece i odpaliła w winampie swoją ukochaną płytę i piosenkę, która była jak instruktaż, ach, pokaż mi tę sztuczkę, od której krzyczę, śpiewało jej w głowie i w komputerze, zszamotali z siebie ciuchy, cisnęli w zbitą kupkę na podłodze, koszulki, majtki, spodnie, jakby splecione w miłosnym uścisku. Jak i oni, zachłanni, zmęczeni tymi obowiązkowymi trzema miesiącami moczenia majtek, bo wtedy, jak zapewniały koleżanki, dziewczyna na pewno nie jest dziwką, bo jak wytrzymacie trzy miesiące, to będzie miłość na zawsze, ferowały wyroki wsparte wiedzą wydobytą z „Bravo" i od starszych lasek, więc krzyknęła, chociaż zupełnie nie tak, jak chciała, bo z bólu, aż się zatrzymał, nie wiedząc, w którą stronę teraz, patrzył wyczekująco, aż powiedziała „dobrze, nic się nie stało, kocham cię", a on wpił się ustami w jej usta, i jechał dalej, a ona czekała, że zaraz przecież przestanie boleć, ale nie przestawało, i nie przestawał on, pijany, nie mógł skończyć, zaciskała piąstki, myśląc o jakimś przyjemnym miejscu, a jej ukochana płyta nadpisywała się w pamięci wspomnieniem bólu i rozczarowania.

Wreszcie doszedł, prawie po godzinie, i wyszedł, dysząc ciężko, i tym zdyszanym głosem wysapał jej prosto do ucha, śmierdząc alkoholem, „Bebe, jesteś cudowna".

Chciało jej się ryczeć, ale się powstrzymała, bo była wychowana do pokory; i kiedy lata później wychodziła za kolegę ze studiów, nie zastanawiała się nawet chwili, gdy miała wybrać, jakie nazwisko będzie nosić po ślubie, byle tylko zapomnieć o tej ksywce, o tej pierdolonej, cudownej Bebe.

A teraz siedzi w pracowym kiblu i płacze. I nie wie, jak przestać.

16. LUCKY STRIKE

Piątek, a w klubie... klub jak klub, nie robi na tobie specjalnego wrażenia; pusto, przyszliście prosto po pracy, nie chcecie balować, chcecie rozwikłać tajemnicę. Stali bywalcy muszą po drodze zahaczyć o domy, gdzie przebiorą się w weekendowe ciuchy i zrobią na bóstwa, więc zaczną się schodzić około dziewiątej. Patsy nie wróciła jeszcze z delegacji, więc ty i Zuza, która wygląda dziś jak z odrestaurowanej cyfrowo gierkowskiej komedii, zabieracie ze sobą Wiktora. Najpierw nie był zainteresowany, ale potem się zapalił, gdy Zuza wyjaśniła mu, że coś tu jest na rzeczy.

– Zobacz, te zdjęcia wcale nie są z jednej serii. Pani Królikowa ma zupełnie inną datę, sprzed miesiąca.

– No ale co z tego – wzrusza ramionami Wiktor.

– No to – odpowiada Zuza – że było to prawdopodobnie jakieś tajne przyjęcie, o którym nic nie wiedziałam! A ja wiem o wszystkim, co się dzieje na mieście!

To prawda, wie, płacą jej za to, żeby wiedziała, zna ludzi, którzy znają ludzi, za to też jej płacą, a teraz nie wie i jest podekscytowana.

– Dobra – mówi Wiktor, odstawiając piwo. Wciąż nie ma nikogo, poza barmanem i dwiema kelnerkami, które przycupnęły przy barze i rozmawiają z nim o jakichś barmańsko-kelnerkowych sprawach. – Stanę na czatach, a wy sprawdźcie ten kibel.

Staje na czatach, a wy sprawdzacie damską toaletę. Jest czysto, pachnie sztuczną cytryną. Z plakatów reklamowych na ścianach patrzy na was imprezowa młodzież. Porównujesz zdjęcie w telefonie, wszystko się zgadza. Co teraz? Co by zrobił Scooby-Doo? Zuza zaczyna się śmiać.

Wiktor, który miał stać na czatach, zniknął.

– Tełoz zacz'nam się bacz, 'udłaty! – mówi Zuza głosem psa z kreskówki.

Gdzie on się podział? Może poszedł się wysikać, skoro już tu był, w okolicy. Czekacie chwilkę, nasłuchując. Nic. Tap. Tap. Tap, „wiktore gdzie jestes" pytasz esemesem, „no zara" odpisuje po minucie. Wracacie do stolika i rozmawiacie o Scooby-Doo.

– ...i takie zdziwione phies?! Jakby myślał, że jest człowiekiem – Zuza, jako matka, jest ekspertką w temacie. – Ale kiedy spotykał jakieś suczki, to normalnie do nich startował, crazy shit.

– Jaki shit? – pyta Wiktor, który nagle się zmaterializował.

– Scooby-Doo.

– Scooby-Doo, jasne, zabić Kudłatego, przelecieć Velmę, poślubić Daphne.

– A Fred?

– To ja jestem Fred! – mówi Wiktor.

– Gdzie byłeś, Fred? – pytasz z wyrzutem.

– Moje drogie dede detektywy – odpowiada Wiktor. – Zamiast oddawać się bezproduktywnej warcie pod toaletą w miejscu, w którym nikogo nie ma – typowy Wiktor, zapomina, że to był jego pomysł – udałem się otóż na fajeczkę z tym oto tamtym miłym młodym człowiekiem – skinieniem głowy pokazuje w stronę baru. – I tak się delektując laki strajkiem – Wiktor pali lakisy dlatego, że Johnny Depp palił lakisy w tym filmie Polańskiego o diable – na zapleczu, dowiedziałem się, że nie obsługiwał tamtej imprezy, ale o niej wie.

– Co wie?

– Że była. A tu oto, proszę o brawa, mam namiary na jego kolegę, który owszem. I opowiadał, że to dopiero był crazy shit!

17. PTAKI I SONIC

– Sekundę! – mówi Zuza i dzwoni do teściowej, żeby „mamusia się nie martwiła, że wróci później, bo ważne sprawy zawodowe, no, daj na chwilę do telefonu, no cio tam, maleństwo, całuski, papuski, mamcia lofcia", a potem wraca do negocjacji. Kolega barmana jest dziś w drugiej robocie, w lokalu dla weselszej publiczności, gdzie co jakiś czas musi zdjąć koszulę i pogibać na barze. Ale jest jeszcze spokój, goście dopiero się schodzą.

– Co będę z tego miał? – stawia sprawę jasno, a Zuza sięga do torebki i macha mu przed nosem wachlarzem z dwóch vipowskich biletów na koncert Fuck Androids, zespołu, którego nie znasz. Chłopak ma minę, jakby miał zostać internetowym memem.

– Łoo, ok, dobra jesteś.

Zniża głos do szeptu, jak Michelle z Ruchu Oporu.
– Furrysy.
– Furrysy?
– No, furrysy, nie wiecie? Takie zbolki, co przebierają się za zwierzęta.
Zuza ma minę, jakby wiedziała.
– Raz w miesiącu wynajmują cały lokal, jak na wesele, full wypas, wszyscy w strojach, głównie takie całe kudłate, chociaż czasem jakaś laska przyjdzie w samej masce, ale faceci zawsze na pełnej piździe, szopy, psy, tygrysy, całe zoo. No i jest imprezka, ale nie można sobie ot tak wejść, trzeba mieć zaproszenie. Bo oni tam czasem, podobno, eee, dżiffują.
– No jasne – uśmiecha się Zuza. Znów jest chochlikiem.
Dziękuje grzecznie barmanowi i kiwa na was głową, siada przy stoliku pod oknem i wyciąga z torebki iPada. Uruchamia go, przesuwając palec po ekranie, a potem coś stuka.
– Co to są fur... – zaczynasz, ale Wiktor cię uprzedza.
– MASZ JAKIEŚ GRY? – wyłupia oczy na Zuzę.
– Co, co, no, ptaki i sonika...
– DAJ.
Daje.
Co ten Wiktor! Ten Wiktor jest na głodzie. Od kiedy spotyka się z Patsy, nie dotknął ani jednej gry. Ale dziś jej nie ma, za to jest alkohol, i myśli sobie, że czemu nie, przecież to nie jest zdrada, jeśli partnerka jest siedemset kilometrów stąd. Po błyskawicznej burzy

mózgu chwyta więc łapczywie za maszynkę i smyra palcami o szklaną powierzchnię ekranu, ciągnie za gumę, puszcza i ptak wylatuje wystrzelony z procy, a potem ląduje z impetem w grupie drewnianych szałasów zielonych prosiaków, siejąc spustoszenie. Wiktor odczuwa wielką ulgę.

– Dude? Możemy najpierw...? Te ptaki będą równie wściekłe za kwadrans, helou? – mówisz, ale Wiktora nie ma już z wami. Zuza patrzy na ciebie i wzrusza ramionami.

– Zostaw, niech się chłopak pobawi. No więc furrysi.

– No, no, co to za jedni?

– Futrzaki. Fetyszyści. Miłośnicy antropomorficznych zwierząt, jak tego D'Artagnana, co był psem. Albo, eee, *W 80 dni dookoła świata*?

– Fapią do tego?

– Eee, to siedzi głębiej, z tego, co czytałam – tłumaczy Zuza. – Oni się czują tymi zwierzętami, furrys przebiera się za jakieś zwierzę, żeby wyrazić swoją prawdziwą naturę...

– Psojebcy! – syczy wściekle Wiktor znad iPada, gdy ptak o kilka pikseli mija się ze świnią.

ROBOCOP UMARŁ ZA NASZE GRZECHY

18. PROJEKT KOLONIZACJI

– Smerfetki są zrobione przez Gargamela – tłumaczy Zuza, ciamkając McRoyala – a męskie smerfy przynosi bocian – siorbie colę.

– Skąd? – Wiktor miesza plastikowym widelcem w sałatce z kurczakiem.

– Tego nikt nie wie, może z jakiegoś miejsca lęgowego. Może gdzieś mieszkają naturalnie urodzone Smerfetki?

– Albo taka wielka Smerfeta, jak królowa pszczoła, trzymają ją z dala od innych, bo nie mogą na nią patrzeć.

Fastfoodową heterotopię wypełnia cicha, kojąca muzyka. Plastikowy chillout. Na telewizyjnym monitorze przesuwa się pasek z nieświeżymi wiadomościami, jakby ktoś zapomniał załadować nowe. Mimowolnie czytasz o ulicznych protestach sprzed kilku miesięcy i domino skojarzeń przypomina ci Lisbeth.

– A może to jest projekt kolonizacji...

– ...smerfonizacji – poprawiasz Wiktora.

– ...tylko coś poszło nie tak, centrum działa, mnoży, wysyła kolonistów, ale koloniści nie wiedzą, co mają robić, a centrum nie ma już kultury ani nic, tylko starą fabrykę klonów, i każdy jest programowany jak w *Nowym wspaniałym świecie*. Dlatego mają przypisane role!

– I dlatego Smerfetka jest nikim, poza tym, że jest kobietą, bo jej nikt nie zaprogramował? – pytasz.

– Gargamel ją zaprogramował, żeby właśnie była kobietą i namąciła w wiosce – przypomina Zuza. – A tę drugą, Sasetkę, zrobili, bo Smerfetka nie miała z kim gadać o sukienkach i było jej smutno.

– Która to była Saszetka?

– No taka ruda, w różowych portkach – Zuza klika parę razy w iPada i pokazuje obrazek z małą smerfo-chłopczycą.

– Przejebane być Smerfetką – stwierdza Wiktor.

Nie macie na to odpowiedzi. I wracacie do sprawy tajnego przyjęcia furrysów.

– Może byś się przebrała – kombinuje Wiktor – i weszła tam jako kelnerka.

– Sprytne, nikt się nie zorientuje, jak na filmach, zasłonię sobie twarz tacą z przysmakami.

– Co jedzą furrysy? Karmę dla zwierząt?

– Przysmaki Scoobiego, jak Kudłaty.

– Spróbowałem kiedyś kociego chrupka, najpierw był smaczny, a potem zostawił taki posmak, że nie mogłem go zmyć przez tydzień, kuporzygi.

– Wiktor, dude, nie przy jedzeniu.

– Przecież już zjedliśmy...

– Poza tym chcę tam wejść jako gość, to jest party, a ja jestem party girl – Zuza kontynuuje właściwy temat, cały czas smyrając iPada. – Pozostaje infiltracja. Trzeba przeniknąć w ich struktury. Muszą mieć jakieś miejsce w internecie, to przecież nie jest fight club.

– Skąd wiesz? Wyobraźcie sobie, walki kogutów z kolesiami przebranymi za koguty!

– Te, Wiktor, jesteś dziś kreatywny jak agencja kreatywna, pomóż mi lepiej wymyślić – zerka na ekran – fursonę.

– Co takiego?

– No, moją zwierzęcą postać, trzeba tu uzupełnić przy rejestracji na forum. Imię, rasa, opis...

– Wiewiórka Wanda, lubi długie spacery po parku i Brygadę RR, jest uczulona na orzechy i psie futro.

Pip, pip – robi iPhone Zuzy. Którąś z Aś przysłała esemesa, że idą na tańce. Wiktor mówi, że jak chcecie, ale on to się zmywa, z uszanowaniem, bo zmęczony jest.

I się zmywa.

19. LIST W BUTELCE

Nie czujecie się zmęczeni, ale nie macie ochoty na tańce. Zamiast tego włóczycie się, korzystając z ciepłego wieczoru. Świeże powietrze dobrze ci robi.

– Ej, ej, ej, słuchaj Zu – Zuza słucha – słuchaj, przecież, tak, ktoś to zdjęcie, tak, tak? Ktoś je tam wrzucił! I dlaczego?

– Łoo, faktycznie, no...

– Może to jest jak list w butelce, rzucony z nadzieją, że trafi do właściwego adresata. Może to zaproszenie.

– Tak! Trzeba odpisać, how about this, zrobimy furrysową pocztówkę z danymi kontaktowymi i wrzucimy na dead dropa.

Mieszkasz dwa place stąd, więc proponujesz, żeby skoczyć po laptopa. Zuza odbiera to jako zaproszenie i trudno jej odmówić.

– Te szafki na prawo to kuchnia, tu jest łazienka, a to pokój – oprowadzasz Zuzę, nie ruszając się z miejsca.

– Przytulne – mówi Zuza, ale w jej głosie słyszysz smutek. – Przepraszam.

Zzuwa buty i wchodzi do łazienki. Przez cienkie ściany słyszysz, jak podnosi klapę, siada i siusia. Uświadamiasz sobie, że siedzi tam ze ściągniętymi majtkami, ledwo dwa kroki od ciebie. Co za dziwne myśli, zdejmujesz pośpiesznie trampki i idziesz włączyć laptopa.

– Przepraszam, dostałam ataku melancholii – mówi Zuza po powrocie. – To miejsce jest takie, wybacz, samotne, takie puste... i trochę ci tego zazdroszczę.

Nie odzywasz się, jak zwykle wolisz słuchać. Chyba dlatego Wiktor cię polubił, perfekcyjna publiczność i zawsze pod ręką.

– Cały czas myślę, dlaczego Pani Królikowa siedzi na kiblu – Zuza mówi powoli, ze wzrokiem utkwionym w oddali – i dotarło do mnie, że łazienka czy toaleta to dziś jedyne miejsce, gdzie można być sobą, odciętą od świata i reszty ludzi, od kamer i mikrofonów, i smartfonów. Jedyne miejsce, gdzie można się na chwilę schować. Może ona zaprasza do swojej kryjówki, oferuje miejsce w norze.

Podchodzi do wściekłego ptaka, smyra ekranik iPoda, wybiera aplikację „radio" i mówi:

– Podaj cyfrę.

– Cyfrę? – dziwisz się. – Trzy.

Zuza smyra trzykrotnie ekranik, trafia na stację Złote Przeboje.

– Posłuchajmy tego, niech pokieruje naszymi uczuciami.

Kończy się jakiś smętny, gitarowy polski kawałek i prezenter zapowiada *Modern Love* Davida Bowie. Zuza naciska plus na ptaku, żeby zrobić trochę głośniej. Boisz się, czy nie przyleci dziadek z dołu, ale nic nie mówisz, słuchasz piosenki. Słyszysz ją nie pierwszy raz, ale po raz pierwszy wsłuchujesz się w słowa. Jest coś o bogu i człowieku, ale nie do końca je rozumiesz. Patrzysz na Zuzę, która kiwa się do rytmu i zaczyna delikatnie tańczyć, nie odrywając stóp od ziemi, porusza ramionami i biodrami.

– Don't believe in modern love – kończy razem z Davidem i wyłącza radio, gdy Kombi zaczyna śpiewać o „naszym randez-vous". Ma zarumienione policzki i troszkę się zziajała.

– Napijesz się kawy? – pytasz po minucie ciszy.

– Dziękuję, ale chyba muszę już iść. Innym razem – wyciąga iPhone'a i dzwoni po taksówkę, odwraca się na chwilę do ciebie, żeby się upewnić, czy dobrze zapamiętała adres. Taksówka będzie za pięć minut, poczeka na dole.

Już ma wychodzić, ale jeszcze się odwraca i zostajesz ze smakiem tęczy na ustach.

20. ALLES NUR GEKLAUT

SŁAWOMIR siedzi przy stole w dużym pokoju. Ma na sobie sprany T-shirt i granatowe spodnie od dresu, z Lidla.

Żuje w milczeniu kanapkę z serem, którą przygotowała mu mama. Pięć godzin, które minęły od obiadu, spędził nerwowo, czekając na przelew za ostatnie, marne, zlecenie, grając we flashowe gierki i wpatrując się w białą kartkę starego Worda. Rozdał kilka lajków, ale przeglądanie fejsbuka nie sprawia mu przyjemności. Widzi, jak kumple chwalą się nowymi hiscore'ami, i odczuwa fantomowy ból w miejscu, gdzie do tej pory stała konsola. Teraz przykrywa ją kurz pobliskiego lombardu, a Sławomir ciuła wdowie grosze na wykup ukochanej z niewoli.

Jego wielka polska powieść wciąż liczy tylko pięć tysięcy słów żywego tekstu w docu i cztery zeszyty w kratkę pokryte koślawymi notatkami. Próbował pisać ze złości, próbował pisać z zemsty, chciał odmalować tamtą niewdzięczną zołzę, żeby każdy zobaczył, jaka jest naprawdę. A tyle jej dał, tyle słów, swojego najcenniejszego skarbu, ten tomik wierszy, który napisał dla niej; jedyna pociecha, że w dedykacji imię upadłej muzy skrył za inicjałem.

Kończy kanapkę i jeszcze raz naciska F5, odświeżając stronę banku. Bez zmian.

Wchodzi na swój artblog, gdzie umieszcza czasem wiersze i absurdalne kolaże robione w GIMP-ie, przegląda statystyki (marne), potem loguje się do serwisu reklamowego zobaczyć, czy coś nakapało (nie nakapało) – żeby dostać wypłatę, trzeba uzbierać sto złotych, w tym tempie zajmie to rok. Wraca do panelu sterowania blogaska, usuwa komentarze cybernetycznych komiwojażerów, a potem sprawdza, z jakich stron strudzeni wirtualni wędrowcy zbłądzili w jego zakątek internetu. Portal poetycki, kilka zaprzyjaźnionych blogów i różne losowe wejścia z mechanizmu polecającego blogi w blogowisku. Z nudów i ciekawości klika na jeden z nich, jego adres utworzony jest ze zdrobniałego imienia i roku urodzenia, zapowiadającego nastoletnią autorkę.

Kula śmiechula już się toczy przez ścieżki w mózgu Sławomira, który przegląda kolejne wpisy, pisane nieporadnym językiem prowincjonalnej gimbuski, aż nagle złośliwy uśmiech zamiera mu na twarzy.

Czyta notkę pod tytułem *Pewna opowieść* i czuje bolesny uścisk w sercu; nagle w tym strumieniu zachwytów nad aktualnie popularnym Justinem, ciuchami i przystojniakami ze szkolnej dyskoteki znajduje piękną, wzruszająco prawdziwą historię, podany na tacy kawałek duszy dziewczynki. Wstaje od komputera i patrzy przez okno w dal, poruszony, jakby spotkał Jezusa z piosenki Cohena.

Zaznacza notkę i kopiuje ją do Worda, a potem bierze się za redakcję, prostuje zdania, dodaje trochę wypełniacza. Wyśle to potem Bryndalowi albo Duninowi, będzie miał z tego parę stówek, a może i tysiaka, liczy na palcach i myśli o dniu, w którym zabierze xboxa z lombardu. Doskonale.

A potem już tylko czeka, aż mama pójdzie na nocny dyżur, by mógł w spokoju zwalić sobie konia.

21. NOWA GENERACJA

– Hej! – woła Zuza – Zobacz, kogo spotkałam!

Ciągnie cię za rękę. Wychodzicie z mieszkania, schodami prosto w dół przejścia podziemnego. Ktoś wyłupał dziurę tam, gdzie jeszcze wczoraj był dead drop.

– Chodź – mówi Zuza i klęka, a potem wchodzi na czworakach do dziury. – No chodź!

Schylasz się i przeciskasz przez otwór w ścianie. Czołgasz się w stronę światła wąskim tunelem, aż wchodzisz do wielkiej sali balowej. Pod ścianą stoją furrysy w odświętnych strojach, a na środku Zuza trzyma pod rękę Panią Królikową i macha do ciebie.

Podchodzisz do Pani Królikowej i ściągasz jej maskę, spod maski wysypują się dredy. Dziewczyna z kolczykiem w brwi i wardze uśmiecha się do ciebie, a potem obejmuje Zuzę i zatapia usta w jej ustach. Konduktor szarpie cię za ramię.

– Bilety do kontroli.

– Chwileczkę, mam go tu gdzieś, przysięgam.

Wrocław za oknem płonie zachodzącym słońcem.

– Przepraszam, muszę do toalety.

– Bez biletu!? Nie wolno!

Wyrywasz się i przepychasz między ludźmi. Szarpiesz za klamkę, drzwi są zamknięte. Idziesz dalej, do następnego wagonu, otwierasz drzwi, ale na kiblu ktoś siedzi. Patrzysz na dziewczynę, a ona patrzy na ciebie. Przepychasz się przez małe okienko do następnej kabiny, ale nie możesz zamknąć za sobą drzwi, co chwila ktoś próbuje wejść, w końcu wyrywa drzwi z zawiasów. Uciekasz, biegniesz szkolnym korytarzem. Naprawdę chce ci się sikać. Przewracasz się przez kwadrans, który trwa wieczność, z boku na bok, aż budzą cię promienie słońca. Z ulgą siadasz na muszli i myślisz o tym, że wczoraj siedziała tu Zuza. Próbujesz zapamiętać fragmenty snu, ale im bardziej się starasz, tym bardziej sen się zaciera.

Na fejsbuku znajdujesz wiadomość od Zuzy, jest uziemiona przez weekend, bo teściowa się struła. „Zrób laurkę dla furrysów plz", prosi. „Jasne". „Dzięki, papusy :*"

Papusy. O co w tym wszystkim chodzi, zastanawiasz się, niedobrze tyle myśleć przed pierwszą kawą. Wchodzisz na youtube i szukasz *Modern Love*. Nie ma teledysku, tylko empetrójki puszczone pod zdjęcia Davida i reklama pepsi z lat osiemdziesiątych. Klikasz z ciekawości. Filmik jest złej jakości, pełen artefaktów zużytej taśmy VHS, a piosenka ma zmienione słowa. Bowie przebrany za naukowca szaleje po skomputeryzowanym laboratorium, skanując zdjęcia fragmentów kobiet, a potem odpala dziwaczną maszynę i siada z butelką pepsi. Trochę napoju wylewa mu się na konsoletę, następuje zwarcie, a z komory w maszynie wychodzi świeżo sklonowana Tina Turner, dziewczyna z komputera, i dołącza się do piosenki. Śpiewają o tym, że „wybór należy do mnie". Stare neonowe logo eksploduje deszczem iskier. Nowoczesna miłość ma smak pepsi. Wybór nowej generacji, głosi napis. Bowie to dziś starszy pan, kto jest tą generacją? Ty?

Pepsi kojarzy ci się z dzieciństwem, z biedą, z PRL-em, kiedy była to jedyna cola w sklepach (po latach dowiesz się, że Coca-Cola i Pepsi Co. podzieliły między siebie komunistyczną Polskę). Nie pijesz jej od dwudziestu lat, ale dziś znów masz ochotę. Pepsi kojarzy ci się z Zuzą.

22. SPORT DLA IDIOTÓW

Dziś Wiktor zamiast pysznej kanapki od Pana Kanapki je muesli z jogurtem. Opowiadasz mu o kartce zostawionej w dead dropie i o dziwach, jakie pokazuje google po wpisaniu „furry" do wyszukiwarki obrazków, jeśli wyłączy się filtr rodzinny.

– Trzeba było nie wyłączać! – cieszy się Wiktor.

W połowie rozmowy do kuchni wchodzi Chyba Marek, akurat gdy Wiktor wypowiada słowa „model psiego penisa w 3D", jest nieco zaniepokojony, ale jeszcze bardziej zdumiewa go posiłek Wiktora.

– Niepotrzebnie się dziwisz, kolego – flegmatycznie mówi Wiktor. – Otóż postanowiłem o siebie zadbać. Na początek – zdrowe jedzenie.

– Chodzi o kobietę? – zwraca się do ciebie Chyba Marek. Szczerzysz się i kiwasz głową.

– No, no, no, bez takich – obrusza się Wiktor, ale nikogo nie oszuka.

W czasie weekendu dużo myślał – opowie ci o tym wszystkim później, na osobności – i zrozumiał, że Patrycja Poręba to może właśnie ta jedyna. Oboje zmarnowali już trochę czasu na pomyłki życiowe, i bogatsi w te doświadczenia, kalkulował sobie Wiktor, lustrując sufit w wolną sobotę, nie ma się co oszukiwać, to nie jest tak, że Agatka spierdoliła mi życie, dużo w tym było mojej winy, myśli o tych wszystkich momentach, w których powiedział nie to, co trzeba, albo zachował się jak idiota. Przypominają mu się dobre chwile, te z początku, pocałunki w deszczu, nie może uchwycić momentu, kiedy wypadli z torów. I obiecuje sobie, że tym razem tego nie zjebie, że tym razem będzie uważał. I wstydzi się tego wczorajszego upadku ze wściekłymi ptakami.

– Wiktor – mówi Chyba Marek – a może byś chciał ze mną pobiegać? Patrz, jest do tego taka fajna appka...

Wiktor, który od potrącenia piętnaście lat temu ma wodę w kolanie, puka się w czoło.

– Nigdy w życiu! Mój ortopeda zawsze powtarza, panie Wiktorze, wszystko, tylko nie jogging. Sport dla idiotów, wymyślony przez Amerykanów po to chyba, żeby sobie rujnować kolana jeszcze bardziej! – mówi tubalnym głosem.

Chyba Marek bardzo się za te słowa na Wiktora dąsa. Przypomni je sobie we wtorkowy poranek, podczas porannej przebieżki, i tak się zdenerwuje, że aż wypadnie z rytmu i na chwilę straci oddech. Biegnąca za nim sąsiadka o mało na niego nie wpadnie, Chyba Marek uśmiechnie się przepraszająco. Pozytywny młody człowiek z pozytywną młodą pasją.

Wiktor w tym czasie będzie jeszcze smacznie spać. Będzie mu się śniło, że jest wściekłym ptakiem i że leci nad bezkresnym polem, wpatrzony z nadzieją w horyzont.

JAK DOBRZE, ŻE POKONALIŚMY AIDS

23. PISSING AND SMOKING

– Zasady, zasady są proste, ok, honey, I'll just explain it to them quickly, right? Wyciągamy karty z kręgu, i jak jest czarna, od dwa do pięć, to pijecie tyle łyków, ile jest na karcie, a, as to jeden, a jak czerwona, to tak samo, ale mówicie innym, ile mają wypić, jasne?

– Jasne.

– No dobra, może to zapiszę, to nie zapomnimy... Jak wyciągacie szóstkę, to zatrzymujecie kartę, i w każdej chwili możecie złapać się za nos, tak, i wtedy wszyscy też muszą, a kto się złapie ostatni, ten pije łyka. Z siódemką to samo, tylko się, eee, łapie kciukiem za stół, o tak – Julcia, młodsza siostra Patsy, pokazuje jak – jasne?

– Jasne!

Mieszkanie Patsy jest urządzone tak jak wszystkie mieszkania na wynajem na osiedlach deweloperskich, niska, jasna kanapa i drewno w kolorze wenga. Jak w tym odcinku *Zmienników,* co pijany koleś znalazł trupa w wannie, a potem się okazało, że przez pomyłkę trafił do mieszkania sąsiadki. W kapitalizmie dzięki Ikei wszystko też wygląda tak samo, socjalistyczny uniformizm za cenę rynkową. Parę osobistych akcentów: zdjęcia, plakat ze starego magazynu mangowego, książki – wszystkie Pottery, saga *Zmierzch,* ekonomiczne i marketingowe nudy ze studiów – kilka płyt, których nie rozpoznajesz z daleka.

– Ósemka to jest pissing and smoking, e, jak ktoś chce siku albo fajkę, to tylko z tą kartą.

– O matko, lecę się odlać – woła Wiktor.

– Za późno! – surowa Julcia. – Ok, dziewiątka to „I have never", to idzie tak, że ten, kto wylosował, mówi „I have never cośtam", a wszyscy pokazują pięć palców, i jeśli się to coś zrobiło, to odgina się jeden, i potem następna osoba mówi, i kto pierwszy odegnie wszystkie, to pije.

– Jak na pijacką grę to bardzo skomplikowane – marudzi jedna z Aś.

Patsy i Julcia też wyglądają jak z Ikei, dwie blondynki o ostrych rysach i wielkich oczach. Parę osobistych akcentów – różowe pasemko, pierwsze zmarszczki i zmęczenie życiem zapisane w spojrzeniu Patrycji. W oczach młodszej o pięć lat siostrzyczki wciąż widać nadzieję, ciekawe, na ile jej starczy.

– Dziesiątka to „subject", to znaczy trzeba wymyślić jakiś temat, na przykład zespoły rockowe, i każdy wymienia po kolei, a kto nie będzie mógł albo za długo będzie myśleć, pije. Jopek to „make your own rule", znaczy można wprowadzić jakiś dodatkowy pomysł, tylko bez wygłupów, poważne oferty. A królowa to waterfall, wodospad, kto ją ma, zaczyna pić, i piją wszyscy, i jak przestanie, to następna może przestać, i następna jak ta przestanie, kumacie?

– Wyjdzie w praniu – mówi druga Asia, która przytargała ze sobą studenta.

– A jak się wylosuje króla, to trzeba go przykleić do czoła i wtedy można odmawiać wykonania zadań, dopóki się trzyma. No, tyle, aha, i jak ktoś przerwie krąg, będzie musiał pić do końca. Understand?

– Ja, my wszystko fersztejen – szczerzy się Wiktor.

Julcia tasuje karty i układa je w kręgu dookoła butelki.

– Ok, let's play. Marcus, take one.

Marcus, miły młody człowiek, którego Julcia przywiozła ze sobą z Londynu, wyciąga kartę i od razu trafia dwa łyki. Wszyscy biją brawo. Zastanawiasz się, gdzie jest Zuza. Czy w ogóle dziś przyjdzie?

Wiktor jęczy, gdy zamiast upragnionej ósemki wyciąga piątkę czerwo.

Po kilku kolejkach Patsy wyciąga dziewiątkę i deklaruje:

– Now, for something dirrrrty... I have never been in threesome!

Wszyscy robią „uuu!" i się śmieją, ale nikt nie odgina palca, chociaż widzisz, że Julcia ledwo się powstrzymała i chyba lekko spąsowiała, jakby przyłapana na kradzieży słodyczy z kredensu.

24. ŻYCIE BALKONOWE

– O, jakie niedobre – narzeka Wiktor. Pani w kiosku zamiast lakisów sprzedała mu przebrandowane goldeny, a on się śpieszył i nie zauważył. – Jak dobrze, że postanowiłem rzucić. Jak tylko skończę tę paczkę – dodaje, gdy patrzysz z powątpiewaniem.

Ale on naprawdę wygląda na odmienionego. Na przykład – ciuchy. To już nie ten Wiktor-abnegat, który mógł ilustrować w wikipedii hasło „nerd" – dwie wyprawy na wyprzedaże z Patsy i spójrzcie tylko na tego nieprzesadnie, ale eleganckiego, wciąż dość młodego mężczyznę, w spodniach z H&M i koszuli z Zary, nawet skarpetki ma dobrane. Nawet się ogolił!

Wiktor patrzy na dzieci grzebiące w piaskownicy na tycim deweloperskim placu zabaw, wciśniętym między wąskie chodniki i ciasno zaparkowane samochody, i na jego twarzy maluje się rozrzewnienie. O czym tak myśli, dopalając tego niedobrego papierosa, o małych Wiktorkach, z którymi kopie piłkę, i jeszcze mniejszych Patrycjach bawiących się kucykami z McDonalda.

W mieszkaniu Marcus dyskutuje z Asinym studentem, pewnie o jakiejś grze komputerowej, a Julcia i Asie szeptają z Patsy o Wiktorze. Julcia jest zachwycona, jak to mówi, szwagrem, i naprawdę cieszy się szczęściem siostry. To wszystko daje jej do myślenia – taki solidny, mieszczański chłopak, z normalną robotą i kredytem hipotecznym, zamiast z głową w chmurach i wiecznym zapożyczeniem u znajomych, to skarb.

– Taki chłopak to skarb, Paciu – szepce siostrze do ucha.

Julcię fascynował Sławomir, eks Patsy, ale tak, jak fascynujące są zwłoki rozjechanego kota. W trakcie nielicznych spotkań nie mogła się nadziwić, jak jemu w ogóle udaje się wstać rano i położyć wieczorem w jednym kawałku. Widziała go, sama nie wie dlaczego, jako takiego wielkiego pierwotniaka pantofelka, ale nie wiedziała, jak o tym powiedzieć siostrze.

Zawsze były sobie bliskie, ale w sprawach intymnych zbudowały między sobą mur wstydu.

Julcia jest o krok, żeby się otworzyć i poradzić siostry, co ma dalej ze sobą zrobić. To, co czuje do Marcusa, po angielsku nazywa się love, ale on czasem mówi, że he needs all the love he can get, i że to miłe, that she loves him, i że on też ją loves, a potem opowiada o hipisach i poliamorii, i ona wtedy czuje się, jakby traciła grunt pod nogami, bo jak każde dziecko generacji porno jest otwarta na różne fikoły, ale też, do licha, odróżnia życie od przygody na Erasmusie. Wieczorem, w kuchni, gdy Marcus chrapie na kanapie, Julcia tuli się do siostry, wyglądają razem jak dwa snopki, i otwiera usta, ale zastyga w tej pozie i nie mówi w końcu nic. Patsy czuje to napięcie i gładzi siostrę po głowie, ale też jest sparaliżowana, nie umie zadać odpowiedniego pytania.

Ale ty o tym nic nie wiesz, stoisz na balkonie i ponad głowami bawiących się dzieci wypatrujesz Zuzy. I w końcu idzie, w granatowej sukience z białym kołnierzykiem i fryzurze jak dziewczyna z klocków Lego, dostrzega was z daleka i macha uśmiechnięta.

Pragniesz znaleźć kredę i napisać na ścianie „Zuza jest w dechę".

25. WEGAŃSKI SMALEC

JOLA, drobna blondynka o wielkich oczach i różowej cerze, siedzi przed komputerem ubrana w pidżamę.

Warszawa nienawidzi Joli, tak jak nienawidzi każdego, ale Jola ją kocha, tak jak kocha każdego.

No, może nie każdego, jej bezgraniczna miłość do wszystkiego, co żywe, staje się bardzo ograniczona, gdy chodzi o ludzkość. Wstydzi się tych uczuć, ale źli ludzie wzbudzają w niej nienawiść. Źli ludzie, którzy jedzą mięso. Źli ludzie, którzy piją krowie mleko. Źli ludzie, którzy dręczą zwierzęta, jak ci dresiarze, co ciągnęli psa za samochodem – gdy się o tym dowiedziała, przeryczała całą noc, a potem wkleiła drastyczne zdjęcie na fejsbuka, niech wszyscy zobaczą, na jakim świecie żyjemy, poczuła radość, czytając odpowiedzi internautów, którzy chcieli zlinczować bandytów. Jest nadzieja.

Jola pracuje w fundacji ekologicznej, gdzie zajmuje się odpowiadaniem na maile i innymi pracami biurowymi, nudy, ale w słusznej sprawie, więc sprawia jej to satysfakcję. Ale czuje, wie, że powinna robić więcej – i robi.

A wszystko to dlatego, że Jola skrywa sekret. Kiedy miała pięć lat, na wakacjach u babci na wsi, w czasie zabawy w obejściu, wzięła cegłówkę i zabiła nią kurczaka. Nie wie dlaczego i dokładnie nie pamięta, co było potem, zaczęła krzyczeć i przez jakiś czas moczyła łóżko.

Teraz, po dwudziestu latach, wciąż robi więc wszystko, by odkupić winę. Nienawidzi tego, że jest człowiekiem, i często leżąc i patrząc w sufit w ciemnym pokoju, fantazjuje o tym, że urodziła się owcą albo jakimś innym niewinnym zwierzęciem, tak żeby nie dźwigać tego ciężaru, tych wszystkich grzechów, swoich i pobratymców. Czasami, gdy jest u swojego chłopaka, którego poznała na proteście przeciw cyrkowi, prosi go, żeby nic nie mówili po polsku ani po angielsku, w żadnym z ludzkich języków, leżą splątani pod kołdrą i mruczą.

Pracuje w tej fundacji, chodzi na manify, rozkleja ulotki, w niektóre weekendy jest wolontariuszką w schronisku, a wieczorami prowadzi dość popularny wegański blog. Zamieszcza tam przepisy kulinarne i filozoficzne przemyślenia, czasem nawet własne. Co jakiś czas sprawdza raporty i statystyki, ciekawią ją szczególnie miejsca, z których przychodzą goście, tak dowiedziała się o kilku pokrewnych blogach i zdobyła nowych przyjaciół.

I tam, pomiędzy śladami poszukiwań przepisu na „wegański smalec" (*trzy cebule, trzy pieczarki, granulat sojowy, bulion, ząbek czosnku, szklanka oleju, kostka margaryny, sos sojowy, majeranek, szczypiorek; posiekać, rozpuścić, usmażyć, zlać do słoika, wymieszać, ostudzić, zjadać z chlebem i ogórkiem kiszonym*) czy odpowiedzi na „dieta dla kota wegetariańska czy jest zdrowa” (*TAK!*), znajduje ciąg wyrazów „czy weganki golą pachy”.

Siedem godzin drogi stąd, w dalekiej Warszawie, Jola kocha ludzkość jeszcze troszkę mniej.

CZĘŚĆ DRUGA

26. JUTRO BĘDZIE FUTRO

– Skandal – mówi Zuza konspiracyjnym szeptem, muskając cię na powitanie zapachem tęczy.

– Skandal – upewniasz się.

– Towarzyski!

– Uwielbiam skandale towarzyskie!

– No więc podobno – podobno! – Asie podzieliły się studentem.

– Zu, on z pewnością ma jakoś na imię.

– Być może, ale tu, w wiosce Smerfów, będzie zapamiętany jedynie za swoje zasługi! Ale słuchaj, no! Bo to było tak, że po imprezie u Patsy on jakoś wyszedł nie z tą Asią, z którą przyszedł, nie wiem, czy się tam pokąsali o coś, czy co, wyszedł i doszedł, najwyraźniej, i już się szykowała wielka drama, kiedy dziewczęta stwierdziły, że tego młodego mięska starczy dla nich obu, i w sumie to dlaczego nie skorzystać z tego bufetu naraz, wiesz, w sensie pod jedną pierzyną – w głosie Zuzy w ogóle nie słychać oburzenia.

– Stare wariatki bez kotów.

– Wiesz, jak to mówią, masz tyle lat, ile osoba, z którą sypiasz.

– Kto tak mówi?

– Ci sami, co mówią carpe diem! I memento mori! I łoo!

Tyle z plotek, czas na knucie. Operacja „kartka do furrysa" zakończyła się pełnym sukcesem – po kilku dniach od zrzutu na przygotowaną specjalnie skrzynkę mailową przyszedł list z linkiem aktywującym vipowską część popularnego europejskiego forum furry. Wiewiórka Wanda znalazła tam subforum, na którym można było zapisać się na tajną imprezę.

– Trochę to dziwne, że akurat u nas się zbierają – zastanawiasz się.

– Niekoniecznie. Historia zna takie przypadki – Zuza bezwiednie kręci sobie loczek – jak szmule w żelazkach albo scena techno. Wiesz, że na przykład w Toruniu do dziś nie znają techno?

– Nie? To co oni tam mieli w dziewięćdziesiątych?

– Jazz! – wykrzykuje Zuza i zaczyna chichotać. Wyobrażasz sobie naćpaną młodzież skaczącą do Milesa Daviesa.

– No dobra, zapisałaś się na imprezę, ale skąd weźmiesz futro?

– Ha, to żaden problem – uspokaja Zuza. – Otóż w Berlinie mają taki sklep dla perwów i robią również fursuity na zamówienie. Już zaprojektowałam i zamówiłam, trzeba się tylko przejechać na poprawki i po odbiór. Co powiesz na wycieczkę do Berlina? Powiedzmy, najpóźniej w piątek.

– W piątek tak, akurat zamknę projekt i wezmę wolne.

– Super, zadzwonię jeszcze do Patsy i Wiktora, się byśmy mogli zabrać na jednym bilecie.

Ale Wiktor i Patsy najpierw nie odbierają, a potem okazuje się, że i tak nie mogą – umówili się na piątek z Chyba Markiem i jego narzeczoną, taka podwójna randka dla parek. Paraparek.

– Martwię się o te dzieciaki – mówi Zuza – chciałabym, żeby im wyszło.

Wszyscy trzymacie kciuki za Wiktora i Patrycję.

27. LABIRYNTY

Czerwony pociąg pełen Polaków przyjeżdża punktualnie, niemiecka precyzja w działaniu, nawet wyjście jest po tej stronie, którą przez interkom zapowiedział maszynista. Z podziemnych peronów wyrastają szklane tuby wind sięgające kilku pięter, ruchome schody prowadzą na wyższe platformy, do galerii handlowych, sklepów z gumisiami i pamiątkami, i na najwyższy poziom, gdzie wjeżdżają pociągi z linii wschód-zachód. Można się tu zgubić, w tym cybernetycznym pałacu ze szkła i stali, jeśli dasz się ponieść pierwszej konfuzji.

Ale Zuza doskonale orientuje się w labiryncie i bez chwili wahania ciągnie cię w stronę stacji U55. Czynny jest tylko jeden tor, drugi od peronu oddziela barierka. Na ścianach wiszą ziarniste, czarno-białe fotosy starego, przedzielonego murem Berlina.

Po czterech minutach z piskiem hamuje krótki pociąg metra. Wsiadacie do środka, razem z kilkoma turystami, i wahadłowiec rusza w drogę powrotną. Cała trasa składa się z trzech stacji, U55 krąży między dworcem głównym a bramą Brandenburską, zatrzymując się jedynie na wysokości parlamentu. Wychodzicie ze stacji docelowej wprost na plac pod skąpaną w porannym słońcu ogromną bramą. Dookoła śmigają rikszarze i rowerzyści, poubierani w letnie sukienki, sportowe ciuchy i garnitury. Dwaj żołnierze-przebierańcy, „Rosjanin" i „Amerykanin", pozujący do zdjęć za co łaska, wymachują flagą Związku Radzieckiego. Zabliźnione miasto nauczyło się sprzedawać swoją dawną krzywdę.

Po lewej widać ambasadę USA, gwiaździsty sztandar powiewa na wietrze, po prawej zaś w budynek wtopiła się kawiarnia Starbucks, jeden z punktów amerykańskiej kolonizacji. Z kawą na wynos ruszacie w drogę. Zuza ciągnie małą, pustą walizkę na kółkach. Przechodzicie przez bramę i skręcacie w lewo. Z okna ambasady patrzy jeden z berlińskich misiów, przemalowany na Statuę Wolności. Pilnuje go uzbrojony w karabin hebanowy strażnik. Wzrok misia utkwiony jest w placu po drugiej stronie ulicy, który pokrywają rzędy nierównych betonowych bloków. Na tych niskich, z brzegu, siedzą turyści, którzy wysypali się z autokarów, jedzą kanapki i palą papierosy. Młodzi Niemcy próbują wspinać się na monumenty, co zwraca uwagę ubranej w zielony mundur kobiety. Krzyczy na nich z daleka. Machają do niej wesoło i przepraszająco.

– Chodź – mówi Zuza i wchodzi między bloki, walizeczka podskakuje na nierównym bruku. – Musisz to poczuć.

W środku jest chłodno, cień rzucany przez bloki odcina cię od światła. Betonowy las, nie można się przecież zgubić w lesie, wystarczy iść ciągle przed siebie, aż dojdzie się do jakiejś drogi czy przepierzenia. Ale tutaj, w klaustrofobicznej niesamowitości, czujesz, że można wejść i już nigdy nie wyjść. Gdzieś obok biegają nastolatki, bawią się w chowanego i urządzają zasadzki na swoje dziewczyny, wyskakują znienacka, strasząc je i rozśmieszając. Zawrót głowy i tracisz z oczu Zuzę, nie wiesz, w którą stronę iść, pofalowane podłoże miesza ci w głowie. Skręt w lewo czy w prawo? Gdzie ona jest? Przykładasz czoło do zimnego bloku, w uszach szumi ci krew albo głosy duchów, nie wiesz.

– Hej! – woła Zuza, obracasz się i wtulasz się w nią z całej siły, z gwałtownością, która na sekundę wprawia ją w zdumienie, ale szybko odwzajemnia uścisk, stoicie tak przez wieczność, nic nie mówicie, rozświetlając ciepłem dotyku panujący dookoła betonowy mrok pomnika Ofiar Holokaustu.

SHUT UP ABOUT WARSAW

28. DRAGON DILDO

– No i jak? – pyta Wiewiórka Wanda.

– Doskonale. Wyglądasz jak wiewiórka. Tylko trochę cię pogrubia.

– Ha ha – Zuza zdejmuje głowę Wandy i mówi coś do krawca. Ten kiwa głową i znika na zapleczu.

Wejście do Naughty Dragon's Dungeon znajduje się w bocznej uliczce na Charlottenburgu, kilkanaście minut spacerem z Dworca Zoo, i łatwo je przegapić – nieoznakowane drzwi i czujne oko domofonu. Umówione wizyty i karty klubowe. To nie jest zwykły sex shop jak u babci Uhse, gdzie można dostać skórzaną bieliznę dla zdesperowanych gospodyń domowych, tu przychodzą koneserzy, którzy wiedzą, czego chcą. I wiedzą również, że nie dostaną tego nigdzie indziej. Trzy piętra o obitych aksamitem ścianach, oświetlone dyskretnie neonami – oto miejsce, w którym krzyżują się tropy perwów z całej Centralnej Europy.

Czekając na Zuzę, oglądasz wyłożony w przeszklonych gablotach towar. Sztuczne narządy ze świata i zaświatów – smocze puloki i wampirze waginy, psie penisy, jeden ma na opakowaniu zdjęcie kogoś przebranego za Scooby-Doo, w każdym rozmiarze i kolorze, do tego wszelkie potrzebne akcesoria, obroże i smycze. W sąsiednim pomieszczeniu znajdujesz skład hardware'u dla roboseksualistów. Cyberpunkowa biżuteria, rękawice i rękawy, kaski, okulary, metal i okablowanie.

W głębi pod ścianą stoi manekin, podświetlony od dołu lampami ledowymi. Z daleka wygląda jak nagi człowiek. Ostrożnie podchodzisz bliżej, sprawia upiorne wrażenie, wygląda jak prawdziwe zwłoki, które zaraz się poruszą.

– Halo – spod ziemi wyrasta młoda, pulchna asystentka, ubrana w lateksowy strój japońskiej francuskiej pokojówki. Rude włosy ma spięte w kucyki.

– 'Elo, eee, was ist das? – wskazujesz na podświetlonego trupa. Słysząc twój niemiecki, dziewczyna przechodzi na angielski.

– Skinsuit. Przebranie człowieka. Najnowsza technologia, japońskie nano, używają tego przy rekonstrukcji poparzeń. Nie jest na sprzedaż, ale można wypożyczyć. Mamy kilka modeli, do wyboru. Po przebraniu wygląda się jak prawdziwy człowiek. A real human being.

– Amazing. So, how much for the rental?

Mówi. Drogo. Przez grzeczność bierzesz ulotkę.

Gdy wracasz, Zuza właśnie kończy pakować Wiewiórkę Wandę do małej walizki na kółkach. Wstaje z kucek i się uśmiecha.

– Mieli coś ciekawego?

– Takie rzeczy, że jeszcze mi wstyd!

Idziecie główną ulicą w stronę stacji metra, po drodze zaglądając w witryny. Na wystawie firmowego sklepu Lego stoi naturalnej wielkości człowiek zbudowany z klocków, wygląda jak złożony z pikseli w niskiej rozdzielczości. Zastanawiasz się, czy to też jest czyjś fetysz.

Zuza chce wejść po prezent dla dziecka. Kiedy sprzedawca doradza jej, co kupić, zanurzasz dłoń w pleksiglasowym kontenerze z elementami ludzików. Małe nóżki, korpusiki, główki z różnymi minami, czapki. Na szczycie kontenera stoją figurki, które ktoś poskładał wcześniej. Bez ładu i składu, motocyklowe kaski dobrane do rycerskich zbroi, kosmiczny kombinezon z czapką pirata. Nic do siebie nie pasuje, kolor spodni nie zgadza się z kolorem góry, rządy chaosu. Zupełnie jak w prawdziwym życiu.

Pikselowa rzeźba patrzy za tobą, gdy wychodzicie. Przyśpieszasz kroku, aby uciec przed myślą, że jest nie mniej realna niż ty.

29. RELIKTY

Kawa z Dunkin' Donuts jest paskudna, ale czymś trzeba popić przesłodkie, mięciutkie pączki, tak pyszne, tak niezdrowe. Jak się oprzeć ferii polew, nadzień i posypek, których nie spotyka się na co dzień?

– A wiesz, że z trzydziestu sześciu dunkinów w całych Niemczech aż dwadzieścia pięć jest w Berlinie? – Zuza dzieli się bezużyteczną wiedzą, którą znalazła kiedyś w internetowym przewodniku. – Berlin, stolica donatów i kiełbasek z curry.

– Nie wiem, ale wiem, kto się umazał dżemorem.

– Gdzie? Aaa!

Patrzysz przez wielkie okno dworca głównego, powoli zapada wieczór. Niebo nad Berlinem ma kolor starego plastikowego telewizora, ciemnoszara masa pożera kawałek po kawałku panoramę miasta, która broni się, rozbłyskując światłami i neonami. Widzisz w szkle wasze odbicia, Zuza ściera pączkowe nadzienie z buzi, jej walizkę na kółkach i twój plecaczek, w którym masz zapas lukrecjowych gumisiów na najbliższe pół roku.

Do odjazdu zostało trochę czasu, więc idziecie do księgarni Virgin Store. Przy wejściu, jak w całym mieście, stojaki z pamiątkami, po prawej muzyka na archaicznych srebrnych krążkach optycznych i inny relikt – prasa papierowa.

Zerkasz na stoisko z komiksami, w których Batman mówi po niemiecku, Zuza krząta się przy przecenionych albumach Taschena. „Dwudziestowieczne amerykańskie wzory na koszulki". „Czarno-białe zdjęcia gołych bab". „Martwy malarz – dzieła zebrane". „Piękne fotosy ze starych filmów. Zawiera gołe baby".

Omijasz stojak z grubymi tomikami, w których po niemiecku mówią wielkookie japońskie pannice, i półki pełne prozy, której bohaterowie również mówią po niemiecku. Na końcu, po lewej stronie, znajdujesz literaturę w innych językach. Przeglądasz półki zasiane bestsellerami i pulpą, wszystkie danbrowny świata, tłuste powieścidła fantasy z cyckami i karłami na okładkach, ubrane w pastele opowieści o czterdziestolatkach z Nowego Jorku, które nie mogą znaleźć chłopaka. Jest kilka książek science fiction, bierzesz do ręki *Owl in the Daylight* Philipa Dicka, z okładki patrzy na ciebie dziwaczna, pozbawiona uczuć twarz, prawie przezroczysta, niepokojąca, pewnie dziś ci się przyśni, wzdrygasz się.

Zuza ściąga coś z półki, czyta, chichra się i podaje ci książkę. Sue Townsend, powoli kojarzysz nazwisko, autorka dziennika Adriana Mole'a. *Royal Baby*, nowość z tego roku, czytasz blurba, który tak rozbawił Zuzę, historia książęcej pary, Kate i Williama, którzy w niedalekiej przyszłości spodziewają się potomka, następcy tronu. Wybucha skandal, gdy dziecko okazuje się czarnoskóre, odzywają się głosy, żeby ściąć Kate, ale „brytyjski Obama" szybko zyskuje wielką popularność. Patrzysz na Zuzę i pukasz się w czoło.

Zuza tego nie widzi, myszkuje przy półce z książkami po francusku. Wyciąga cienki tomik, z daleka nie widzisz tytułu ani nazwiska, i czyta na głos pierwsze zdanie:

– „Au moins une fois dans sa vie, chacun a aimé un garçon, et au moins une fois dans sa vie, chacun a aimé une fille".

30. OTAKU HOLOKAUSTU

JÓŹWINEK, ubrany w czerwoną kraciastą koszulę, kiwa się w lewo i prawo. Obrotowe skandynawskie krzesło skrzypi zgodnie z jego rytmem.

Dla mnie to nie jest straszne, bo wystarczą dwa kliknięcia i już nie widzę Twoich wpisów, a Ty nie możesz odpowiadać w moich – przestajesz istnieć, krótko mówiąc.

Jóźwinek odrywa na chwilę ręce od klawiatury i smarka w jednorazową chusteczkę.

Kolorowo przestanie być wtedy – kontynuuje stukanie – *jak zorientujesz się, że treści przez Ciebie publikowane idą totalnie w próżnię, nie trafiają do nikogo, bo coraz więcej osób wrzuca Cię na czarną listę* – poucza trolla, który zaląqł się w jego ulubionym serwisie i swoimi obraźliwymi uwagami psuje wszystkim zabawę z zamieszczania linków do ciekawych rzeczy znalezionych w internecie i dyskusji na ich temat.

Jóźwinek tupie prawą nogą, taki tik, głowę podpiera lewą ręką, palec wskazujący prawej dłoni kręci kółkiem myszy (z przerwami na smarkanie), treści na ekranie przesuwają się jak na filmach o hakerach. Ping! Powiadomienie, troll odpisał na jego komentarz.

Jóźwinek czyta i warczy z wściekłości, otwiera panel sterowania i plonkuje trolla. Czarna lista. Długo nie może się uspokoić. Chodzi po pokoju z zaciśniętymi pięściami. Jak on mógł...!

Jóźwinek wspomina ten wieczór siedem lat temu, gdy zdjął majtki przy Ewelinie, a ona powiedziała: o rety, jesteś żydem!

– Żydem? – zdziwił się nastoletni Jóźwinek.

– No żydem, żydem, przecież jesteś obrzezany – powiedziała z miną znawczyni. To w końcu nie był pierwszy penis, którego widziała.

Nie pozwalała mu się dotykać (nie minęły jeszcze trzy miesiące), ale pozwoliła patrzeć. Gapił się na jej cycki, pocierał penisa i myślał o tym, że jest żydem. Musiał być, przecież miał tak, odkąd pamiętał. Tak się zamyślił, że stracił erekcję, a Ewelina żachnęła się i naciągnęła bluzkę na piersi.

Myślał o tym również później, gdy Ewelina z nim zerwała, myślał o tym, że przecież jest ochrzczony i że rodzice nic mu nie mówili, ale to go nie dziwiło, bo nie potrafili ze sobą rozmawiać o niczym intymnym, a co dopiero o czubku penisa, myślał o tym, że przecież być żydem to wielki strach, że jak ktoś się dowie, to ucieknie jak Ewelina – Jóźwinek nie poznał jej rodziców, więc nie wiedział, że byli otwartymi antysemitami – że z pewnością jest TAJNYM ŻYDEM i musi tę tajemnicę pielęgnować.

Strasznie go to wszystko zaczęło ekscytować, ta nowo odkryta tożsamość była niczym list z Hogwartu. Zainteresował się historią, uczył się języka przez internet, stał się otaku Holokaustu, poznał na pamięć fakty, biografie i zdarzenia, jak jego koledzy o długich włosach znali bohaterów komiksów o X-Menach i Czarodziejkę z Księżyca.

Dlatego chodzi teraz wściekły po pokoju, a w nieodświeżonym okienku wciąż widać komentarz trolla.

Nie wiedziałem, że panują tu takie hitlerowskie metody.

Nigdy nie nauczy się rozmawiać z rodzicami i nigdy się nie dowie, że wcześnie w dzieciństwie zdiagnozowano u niego stulejkę.

31. ROZMOWY NOCĄ

Wiewiórka Wanda siedzi na krześle i patrzy w telewizor. Jest nieco sflaczała, bo w środku nie ma Zuzy ani nikogo innego.

Zuza poprosiła cię o przechowanie Wandy, bo w domu musiałaby tłumaczyć się przed teściową, że a cóż to znowu, i weź wyjaśnij, nie.

Wiewiórka Wanda leży upchnięta w małej walizce Zuzy wsuniętej na pawlacz i myślisz sobie, najpierw dla żartu, żeby ją wyjąć, bo to przykre tak siedzieć upchniętą. A potem nie możesz się uwolnić od tej myśli, więc wyciągasz Wandę, jej futro jest przyjemne w dotyku, i sadzasz na krześle tak, żeby widziała telewizor.

– Wygodnie ci? – pytasz Wandę. Nic nie odpowiada. – Chcesz piwo? – chichoczesz. Wiadomo, że nie chce. Wyciągasz z lodówki (masz na niej przyczepiony magnes z Berlina) puszkę i nie dzielisz się nią z Wandą.

Siadasz na kanapie i oglądacie razem telewizję. Polsat puszcza *Kobietę-Kota,* jeden z filmów, których nienawidzi Wiktor. Jego zdaniem kobietę-kota może grać tylko Michelle Pfeiffer, jak w *Powrocie Batmana* sprzed dwudziestu lat. Jak się okazało, że w tym nowym Batmanie ma ją zagrać taka panna z *Diabeł ubiera się u Prady*, to powiedział, że pierdoli i nie idzie, ale pewnie tylko tak mówi, bo poprzednią część widział z dziesięć razy i nawet sobie bluraya kupił.

A ty odwrotnie – akurat lubisz ten film, gra w nim Halle Berry i sądzisz, że jest bardzo urocza w obu wcieleniach, w rozciągniętych swetrach i w skórzanym kostiumie seksownej nocnej mścicielki, i że Wiktor mógłby czasem wyjąć głowę z dupy i nauczyć się cieszyć różnymi rzeczami, które nie mieszczą się w jego ciasnym świecie. Przyłapujesz się na tym, że złościsz się na Wiktora, i ten głupi film jest tylko pretekstem, przecież nikt go nie lubi, nawet Halle Berry.

– Ech, Wanda, co ja wyprawiam?

Wanda milczy wpatrzona w telewizor, na ekranie uliczne koty odprawiają magiczny rytuał nad zwłokami Halle Berry.

Zasypiasz w połowie filmu i budzą cię odgłosy wystrzałów, *Kobieta-Kot* się skończyła, miejsce Halle Berry zajął otyły Steven Seagal, który walczy z jakąś mafią. Wyłączasz odbiornik i otwierasz kanapę, wyciągasz pościel i ścielisz, od kiedy odwiedza cię Zuza, starasz się trzymać porządek za dnia.

Nastawiasz nocną playlistę na iPodzie i patrzysz na Wandę. Wanda patrzy na ciebie. Ściągasz ją z krzesła i kładziesz do łóżka. Wanda wpatruje się w sufit. Idziesz się umyć i przebrać, a potem gasisz światło i kładziesz się obok Wandy. Wpatrujecie się w sufit oświetlony przez wpadające przez okno światła miasta. Nie możesz zasnąć.

– A ty jak myślisz, czy Wiktor naprawdę się zmieni? I czy jak się zmieni, to nadal będzie Wiktor, czy to będzie klon-android, który tylko będzie wyglądał jak Wiktor? A może będzie się przemieniał w nocy jak Halle Berry? – pytasz.

Wanda nic nie mówi.

– A o Zuzie co myślisz, co? Znasz ją chyba dobrze. Dokąd to wszystko zmierza, co ja mam robić?

Wanda patrzy w sufit. Szturchasz ją łokciem, bez rezultatu.

– Dlaczego masz na sobie ten idiotyczny kostium wiewiórki? – pytasz.

– Dlaczego masz na sobie ten idiotyczny kostium człowieka? – odpowiada Wanda.

32. ALL TOMORROW'S PARTIES

– Więc mówisz – upewnia się Patsy, gdy robicie jej update w temacie – że jeśli podkochiwałam się w Willym Fogu, to jestem furryską?

– Uhm, z pewnością tak właśnie jest – chochliczy Zuza. – O ile chciałaś go yiffnąć.

– Yiffnąć.

– No, tak się mówi, kiedy jedno furry kocha drugie albo po prostu ma chcicę i...

– Mójboże – Patsy udaje załamanie – tyle lat w nieświadomości.

Bierze głowę Wandy od Zuzy, zakłada i pyta piskliwym głosem:

– I jak wyglądam?

– Jak wiewiórka! – odpowiadacie chórem.

Mieszkanie Wiktora na obrzeżach miasta jest dużo za duże na samego Wiktora, ale gdy je kupował, miał zupełnie inne plany. Plany, które poszły się, jak mówi, jebać razem z Agatą A., toteż urządzony jest tylko salon połączony z kuchnią, w stylu ikeowym, kanapa, telewizor, w rogu stolik komputerowy. Drugi pokój wciąż wymaga pomalowania, leży tam dmuchany materac „dla gości" i szwedzki taboret za dwie dychy. W trzecim, najmniejszym, Wiktor zrobił składzik i trzyma rower. Od roku obiecuje sobie, że zacznie na nim jeździć. Może teraz faktycznie zacznie. Musi tylko przedrzeć się przez wieżowce magazynów o grach, roczniki czasopism science fiction, stosy komiksów i hałdy pulpy, wszystko, co zabrał ze swojego pokoiku w mieszkaniu rodziców i jak zrzucił, tak leży, lata zbierania popkulturowych śmieci, do których teraz nawet nie ma jak zajrzeć.

Nastawiasz wodę na herbatę. Zuza, która ma na sobie resztę stroju, i Patsy, ciągle z założoną głową, siedzą na kanapie i czekają, aż Wiktor skończy majstrować przy stoliku komputerowym.

– Ok, mamy łączność – woła Wiktor zza ekranu Macbooka. Parska śmiechem na widok yin-yangu Zuzy i Patsy.

– Widzisz mnie? – pytasz, zaglądając w broszkę Wiewiórki Wandy, w której umieściliście szpiegowską kamerkę z Allegro.

– Aha, ale odsuń się trochę. Pomachaj.

Machasz i robisz głupią minę. Wiktor odwraca się od monitora i pokazuje język.

– Ok, działa.

– Czekaj, pójdziemy do łazienki, zobaczymy, czy da radę po ciemku.

Idziecie, a Wiktor oczekując, sprawdza internet. Odkąd ostawił gry, znalazł sobie nowy sposób na walkę z frustracją.

– No co za głąb! – denerwuje się i zaczyna stukać, mrucząc. – Nie... wie... działem... że... panu... ją... tu... takie... hitle... ro... wskie... meto... dy, ha ha, ale mu napisałem, żryj gówno i zdychaj.

– Wiktor! – krzyczysz z łazienki. – I jak?

– Całkiem nieźle!

Czajnik syczy parą i wyłącza się automatycznie z cichym kliknięciem.

Zuza dokupiła do stroju zieloną sukienkę na przecenie w H&M.

– Bardzo ładnie, zielony pasuje do rudego – piszczy Wanda-Patsy i pomaga jej zapiąć zamek.

– Trochę się czułam nieswojo w samym futrze, jakbym nie miała nic na sobie!

– Nie wiedziałem, że jesteś wstydliwa – rzecze Wiktor.

– Ja może nie jestem, ale Wanda jest. A ty co, bezwstydny?

– Przecież nie mam nic do ukrycia!

Patsy ściąga głowę wiewiórki i przysłuchuje się uważnie.

– Żadnych trupów w wersalce? – pyta Zuza.

– No dobra, jest jedna rzecz, której się wstydzę. To było w 1995... – zawiesza głos.

I nie opowiada, za to przypomina sobie o korporacyjnej imprezie i pyta Patsy, czy chce się wybrać. Będzie grill i paintball.

– A kto jeszcze idzie? – pyta Patsy, zerkając kątem oka na ciebie.

– Ze znajomych? Chyba Marek z Natką – odpowiada Wiktor. Spędzili z nimi całkiem miły wieczór. Patsy ma ochotę znów spotkać Natkę.

– Ja jeszcze nie wiem – mówisz. Chcesz zapytać Zuzę, ale się wstydzisz.

KAŻDEMU JEGO PORNO

33. KONIEC ŚWIATA

Na ekranie Wiktorowego telewizora odbita w toaletowym lustrze Wiewiórka Wanda macha do was ręką. Odmachujecie, chociaż ona tego przecież nie widzi. Obraz z kamerki ma niską rozdzielczość i czasem łapie laga, gubiąc klatkę, fragmenty zamierają i tworzą fantazyjne pikselowe koktajle, ale przez większość czasu wszystko wygląda nieźle.

– A to co? – pyta Wiktor.

– Pies. Albo bardzo brzydki kot – rozważa Patsy.

– Może to rosomak – mówisz.

– Jak Wolverine? Wtedy miałby żółty kombinezon – żartuje Wiktor, ale to słaby żart, prychacie.

Transmisja nieco was rozczarowuje, wszystko wygląda jak normalna impreza, tyle że przyszli na nią przebierańcy. Piją piwo i kolorowe drinki przez słomki wsunięte w otwory masek, tańczą i rozmawiają, nie słyszycie muzyki i nie słyszycie, o czym mówią.

– Nudzi mi się – mówi Patsy. Wiktor proponuje zabawę w koniec świata.

– To już niedługo, parę miesięcy – mówi. – W grudniu. Runda pierwsza. Jak to się stanie? Przewiduję, że spadnie deszcz meteorów. Wszystko spłonie, ziemia zamieni się w pustynię.

– Stawiam na potop – stwierdzasz. – Lód stopnieje i nas zaleje. I nieskończone deszcze.

– Uhm – myśli Patrycja i mówi – a może pewnego dnia się obudzimy i zapomnimy, co to znaczy miłość. I wtedy wszyscy się pozabijają.

– Punkt dla Patsy – orzeka Wiktor po chwili milczenia. – Runda druga. Jak przygotujesz się...

– Czekaj, patrz!

Do Wiewiórki Wandy podchodzi Pani Królikowa, którą poznajecie ze zdjęcia, w krótkiej sukience. Jest z nią duża postać z lustrzanką Nikona (Wiktor rozpoznaje model), słabo widać maskę pod tym kątem. Pies? Albo wilk? Wanda rozmawia z nimi dłuższą chwilę, a potem idzie na parkiet z Panią Królikową, patrzycie, jak dziewczyna w króliczej masce tańczy, wymachuje biodrami i kloszem sukienki, błyska flesz, ktoś – pewnie psowilk – stoi z boku i robi im zdjęcia.

A potem Wanda bierze mały kartonik od Pani Królikowej i impreza znów toczy się swoim nudnym torem.

– Wybaczcie, obowiązki wzywają – salutuje Wiktor i zamyka się w ubikacji.

Wiewiórka Wanda staje przed lustrem i ściąga głowę. Zuza uśmiecha się i posyła wam całusa. Ma spięte włosy, żeby głowa lepiej leżała.

– Uważaj, bo się zakochasz – mówi Patrycja.

– Ja? Koniec świata, nie pamiętam, co to miłość – wzruszasz ramionami, ale mało przekonująco, Patrycja się nie nabiera.

– Ja to doskonale rozumiem, wszyscy kochają Zuzę – mówi cicho. – Sama się w niej zakochałam, wiesz, wtedy, co pogoniłam Sławcia, była przy mnie i w sumie to uratowała mi życie.

– Pats... – czujesz, że robi ci się gorąco.

– Nie no, to było czyste, czyste i niewinne jak sukienka komunijna, traktuję to jako epizod nieszczęśliwego regresu do liceum, zadurzenia, głupoty, wiesz, byłam zupełnie odsłonięta emocjonalnie. Ale nie do tego zmierzam – patrzy ci prosto w oczy. – Nie zrób sobie krzywdy. To się zaraz skończy i nie zrób sobie krzywdy.

Milczysz. Patrycja patrzy na ciebie. Wiktor spuszcza wodę. Wanda tańczy.

34. HERBATA

Już po wejściu do tramwaju orientujesz się, że iPod został w domu, wetknięty we wściekłoptakową stację dokującą.

– Nic mnie to nie obchodzi, Mariusz, wsadź sobie te przeprosiny. Jesteś, kurwa, dorosły, wiesz, jak pić odpowiedzialnie – drze się do komórki pulchna dziewczyna z czarną grzywką i gęstym podkładem.

Dramat. Ubrany na czarno student emituje trzaski z wielkich słuchawek, muzyka, której słucha, dociera do ciebie jako uporczywe brzęczenie. Obok emeryt-kaznodzieja podrywa starszą panią.

– Ho ho, chyba muszę pani usiąść na kolankach.

– Ależ mogę pana wpuścić...

– Ho ho, toteż postoję, ja mam osiemnaście lat, a na ile wyglądam? Jak tak sobie postoję, to dłużej żyć będę, byle się nie zasiedzieć, proszę pani... To wszystko, wie pani, jest przez to, że jak ten Tusk nas traktuje? On jak mówi, to się śmieje, proszę pani, no czy to jest normalne? A przecież mówi pismo, dziesięć przykazań, proszę pani! Dzień dobry! Mówię dzień dobry w Polsce i nikt nie odpowiada, czy tu są sami Niemcy?

Zamykasz oczy.

– Tak, to był wilk – wyjaśnia wczoraj Zuza, gdy wpada po imprezie oddać kamerkę i zostawić Wandę u Wiktora. Jest już późno, więc od razu będzie się zwijać do domu.

– Herbaty chociaż się napij – mówisz i masz ją na kwadrans dla siebie. Teraz ma rozpuszczone włosy, nieuczesane, uroczy nieład pasuje niesfornemu chochlikowi. Wiktor i Patsy chrapią przytuleni na kanapie przed telewizorem, nastawionym na nieistniejący kanał.

– Patrz, jakie słodziaki, posnęły maleństwa.

Zaglądasz do szafki z herbatami Wiktora.

– Mamy do wyboru liptona, hmm, zieloną mandarynkową, i, eee, earl grey.

Masz nadzieję, że czajnik ich nie obudzi. Zuza dmucha w kubek i próbuje, za gorące, parzy czubek języka.

– Ałć, no i oni od razu skojarzyli, że trafiłam tu przez ten dead drop – opowiada – i bardzo się ucieszyli, wyglądają na miłą parę. Znaczy, nie wiem, kto tam siedział w środku tego wilka, jeszcze się tak dobrze nie poznaliśmy. Coś tu było widać? Nagrało się?

– Aha, fajnie wyszło.

Zuza wyczuwa, że coś jest nie tak, bierze cię za rękę i pyta, czy wszystko w porządku.

– Koniec świata – kłamiesz. Czasem trzeba kłamać.

– Koniec świata?

– Aha, Wiktor wymyślił taką zabawę, bo wiesz, świat się kończy w grudniu, i Patsy powiedziała, że obudzimy się i zapomnimy miłość.

– To niemożliwe – mówi poważnie Zuza – nie można zapomnieć miłości.

– Nawet nie wiesz, ile można zapomnieć... – zaczynasz, ale ona kładzie palec na twoich ustach, jak matka uciszająca dziecko. A potem całuje cię pocałunkiem, w którym nie ma nic matczynego, z całej siły, to już nie pożegnalne muśnięcie, czujesz jej mandarynkowy smak, i zapamiętujesz ten moment, i wiesz, że go nie zapomnisz.

A potem Zuza znika, a ty otwierasz oczy, starsza pani wysiadła, tramwajowy kaznodzieja nie znalazł nowej ofiary i zamyślony dłubie w nosie. Pulchna dziewczyna patrzy przez okno i wzdycha ciężko, zmęczona tym swoim kurwa Mariuszem, a może tym budzącym się dniem. Student wyciąga komórkę i coś smyra po ekranie, brzęczenie ustaje, by po chwili wybuchnąć na nowo, nieznośnie.

Gubisz się gdzieś między jawą i snem.

35. SURÓWKA

NATKA zdążyła się już przebrać w domowe ubranie. Krząta się po kuchni razem z narzeczonym.

Chyba Marek nie je obiadów w pracy, bo te przywożone z pobliskich restauracji posiłki, do których Korporacja w łaskawości dopłaca, są tłuste i niezdrowe. A Chyba Marek je zdrowo, tak samo jak jego narzeczona. Robią wspólnie obiad, on szatkuje kapustę, a ona podsmaża beztłuszczowo kawałki białego mięsa i rozmawiają o tym, jak minął dzień. Natka zamienia się w słuch, a Chyba Marek – w nadajnik.

– Złapaliśmy dziś złodzieja surówek.

– O?

– No, bo to było tak, że parę razy zdarzyło się, że wiesz, przywożą te obiady z cateringu, i one sobie leżą w takich dużych kontenerach, i czekają, aż każdy przyjdzie i odbierze, i danie główne jest w osobnym pojemniku, na takiej tacce, i ona jest podpisana nazwiskiem, a surówka w osobnym, i już jej nie podpisują.

– To skąd ktoś ma wiedzieć, która jest jego?

– No bo wie, co zamawiał.

– Aha.

– I wiesz, oni to przywożą jakoś między dwunastą i pierwszą, i wtedy wszyscy idą, ale czasem ktoś ma meeting albo domyka projekt, i odbiera później. I zawsze też na koniec dnia zostaje parę surówek, bo nie wszyscy odżywiają się zdrowo, tylko jedzą samo mięso z kartoflami – mówi Chyba Marek, obierając marchewkę.

– No ale co z tym złodziejem?

– No bo właśnie nagle zaczęły znikać surówki. Wiktor raz poszedł po swój obiad i patrzy, że nie ma tej, co zamówił. Bo Wiktor teraz niby zdrowo się odżywia, mówiłem ci, pamiętasz. I okazało się, że to nie było pojedyncze zdarzenie i ludzie coś tam szeptali po kątach, ale nikt nikogo nie złapał. Aż do dziś.

– O?

– Bo Jurek podsłuchał, jak taki jeden ziutek z działu obok mówił koledze, że opiekuje się sałatkami, tak powiedział, opiekuje, żeby się nie marnowały. I powiedział Wiktorowi i Wiktor napisał do ziutka na komunikatorze, czy czegoś nie wie o zaginionych surówkach. I ten się przyznał, że owszem, opiekuje się surówkami, żeby nie lądowały w śmieciach, ale z pewnością nie była to surówka Wiktora, i że w ogóle szkoda, że nie są podpisywane. I że przeprasza, jeśli stał się źródłem dyskomfortu.

– Źródłem dyskomfortu.

– No więc Wiktor mu odpowiedział, że wystarczyłoby, żeby nie zjadał nie swojego jedzenia. A ten odpisał, że rozważy tę sugestię. A potem po jakimś czasie Wiktor dostaje wiadomość od niego – Chyba Marek zaczyna mówić śmiesznym głosem. – „Cofam moje poranne pochopne przyznanie się do winy. W dniu wczorajszym konsumowałem surówkę pochodzącą z obiadu mojego kolegi, zatem winnego musisz poszukać gdzie indziej".

– O rety.

– Więc Wiktor wydrukował kartę z napisem „surówkowym skrytożercom mówimy nie" i powiesił w kuchni.

– Hi hi.

– A tamten mu wtedy jeszcze napisał, poczekaj, bo to aż sobie przekleiłem – Chyba Marek zerka w smartfona – bo bym tego nie zapamiętał, słuchaj...

– Słucham!

– ...jeżeli, przez zupełny przypadek, wiesz, kto powiesił kartkę „surówkową" – Chyba Marek robi cudzysłowy palcami – w kuchni, to przekaż mu, że przyklejanie czegokolwiek na ścianach przy pomocy taśmy klejącej jest zabronione i poczytywane jako akt dewastacji ściany.

– Co za bezczel! – oburza się Natka.

– Aha, straszny, no i tyle u mnie. A co u ciebie?

36. WOJNA

Natka od początku ma złe przeczucie i jest niezbyt zadowolona, ale robi dobrą minę. Trzeba czasem wyjść do ludzi i się zintegrować, mówi jej narzeczony, i w sumie nie ma na to odpowiedzi.

Docieracie dość późno – sąsiedni dział rozszabrował już co lepsze stroje i sprzęt, wyłożony w bagażnikach organizatorów. Mała Natka ma przez to problem – wojskowe ciuchy złożone ze spodni i kurtki, które zakłada się na własne ubranie, są na nią za duże, podwija nogawki, ale wiele to nie pomaga, ciągle jej się zsuwają.

Nie masz czasu się z nią przywitać i zapoznać, bo walka już trwa. Szybkie szkolenie z BHP, które i tak zaraz zostanie zignorowane – pokolenie kolesi, którzy nie byli w wojsku, dostaje małpiego rozumu. Generation Kill. Full Metal Jacket. Kretyni z karabinami na farbę wychowani na Call of Duty ganiają się po dwóch opuszczonych budynkach. Szyby dawno wybite przez dzieciaki z procami, drzwi porąbane na opał przez bezdomnych, ściany otagowane graffiti noszą ślady poprzednich bitew.

Bęc! – Wiktor będzie miał niezłego siniola na udzie, dostał z bliskiej odległości, chociaż wynajęty przez panny z haerów wodzirej mówił, że nie wolno. Patsy dokonuje pomsty, zdejmując kolesia celnym strzałem w plecy. Wiktor podnosi w uznaniu kciuk do góry, Patsy z uciechy robi gest zaciśniętą pięścią. Przybijają sobie piątkę, potem on idzie sobie klapnąć z piwem przy ognisku, a ona nadal dzielnie walczy. To nie jest jej pierwszy raz.

Zadanie – zdobyć flagę z obozu przeciwnika i wrócić z nią do swojego. Patsy prowadzi was przez labirynt pomieszczeń, wychylając się zza winkli i oczyszczając pole precyzyjnymi strzałami. Ubezpieczasz ją, a za tobą idzie Chyba Marek z Natką, która wciąż poprawia sobie spodnie. Zaparowane maski ograniczają widoczność, adrenalina szaleje, to nie zabawa, ten biznes jest na serio!

Fop! Fop! Fop! – nagły atak z niespodziewanej strony, rozpraszacie się, ale jest już za późno, Patrycja przyjęła na siebie całą serię, podnosi rękę i ze spuszczoną głową szuka wyjścia. Chowacie się w pustym pomieszczeniu, kierujesz lufę karabinu w stronę otworu po drzwiach, Chyba Marek z Natką kucnęli w rogach.

Bach! Dostajesz w maskę, aż ci dzwoni w uszach, jednocześnie palec sam naciska spust i kleks wykwita na brzuchu przeciwnika. Unosisz rękę, a drugą, w której trzymasz karabin, potrząsasz gniewnie: „chybaciępojebało". Chłopak, nie poznajesz go w mundurze, odmachuje przepraszająco, nie wytrzymał napięcia, tłumaczy potem, strzelił odruchowo.

Patsy z Wiktorem siedzą przy ognisku, Wiktor odbezpiecza kolejną butelkę, Patsy opieka kiełbaskę.

– Już po? Szybko poszło.
– Wojna, wojna to piekło – mówisz poważnym głosem, a potem wybuchacie śmiechem. Ciekawe, jak sobie radzą Chyba Marek i Natka, coś ich długo nie ma.
Wreszcie pojawiają się, razem, w drzwiach budynku. Nie mają ze sobą broni, Chyba Marek ma na twarzy dziwny grymas i opiera się o Natkę, która go podtrzymuje w pasie. Ale idzie normalnie, tylko syczy i ała.
– Co jest, żołnierzu? – pyta Patsy.
– Potknął się i upadł na rękę – wyjaśnia Natka – o wystający kabel się potknął.
– Boli?
– Oj, kurwa, i to jak – mówi Chyba Marek, i serio musi go boleć, bo nigdy nie przeklina.

37. OGNISKO

Biedna Natka, nawet sobie nie zje kiełbaski. Jeden z organizatorów odwiózł pechową parę do najbliższego szpitala.
– I tak to właśnie – filozoficznie zauważa Wiktor, rozleniwiony konsumpcją na świeżym powietrzu. Wziął od Natki kupony na piwo, nic się nie zmarnuje.
Korporacja przypomina stołówkę w amerykańskiej szkole średniej, towarzystwo grawituje do siebie względem zainteresowań, jak sportowcy, czirliderki, nerdzi i goci. Tu więc siedzą w grupkach miłośnicy fotografii cyfrowej, gier wideo, sportu, motorów i amerykańskich seriali. Wtedy potrafią rozmawiać, z pasją w oczach, porównując obiektywy i modele

body; przerzucając się tipsami na ekspienie; wynikami meczy i osobistymi rekordami; historiami z kursu prawa jazdy i opowieściami o tym, jaki motor sobie w końcu kupią; spoilerami do *Dextera* i że Skylar to straszna zdzira, nie?

Poza grupą porozumiewają się chrząknięciami, kategoria „ogólne" za dwieście, pan z lewej:

– Podatki, nie?

– Uhm, wrr, podatki! – pan z prawej.

– A ten ZUS!

– Uhm, wrr, ten ZUS! – to może pan numer pięć.

– A! Euro! O! Autostrady!

– Autostrady! Autostrady! – proszę na siebie.

– Feministki! Te feministki!

– Uhm, wrr, i poprawność polityczna! – to pan z prawej, proszę.

– Ha ha, geje, ha ha.

– He he, he he, he he – brawa, oklaski.

Nie słyszysz rechotu dobiegającego z drugiej strony polany, bo rozmyślasz, kiełbaska skwierczy na patyku, obracasz ją, wpatrujesz się w ogień, o Zuzie, która nie mogła przyjść, bo dostała wiadomość od Wilka i Zająca w sprawie, jak tłumaczyła przez telefon, niecierpiącej zwłoki.

– Kroi się grubsza afera – opowiadała podekscytowanym głosem – soraski, odezwę się, całusy!

Kupony na piwo się skończyły, ale nie ma problemu, sporo zostało i chętni dostają bez kuponów. Nie wszyscy rzucili się na piwo, część przyszła z własnym alkoholem, bo jak tak impreza bez wódki, i już widać efekty, ktoś tam kona pod lasem, chociaż jeszcze kwadrans temu chciał skakać przez ogień, koledzy pilnują, żeby się nie udławił własnymi rzygami. Wynajęty DJ rozstawił się ze sprzętem pod małą altanką i zapodaje hity polskiego rocka. Całe ognisko śpiewa piosenkę Elektrycznych Gitar o włosach, niektórzy tańczą, w parach i bez pary, dzikie hołubce, pełna integracja, między drzewami można dostrzec cienie dwugłowych potworów, które przyszły osobno i osobno wyjdą, ale wieczór młody, chcą się zabawić i zapomnieć.

Co ta Zuza, myślisz, zerkając na Patsy wtuloną obok w Wiktora, który przysypia przed ogniskiem, ciepło i pełny brzuszek robią swoje, ona jest przytomna i też o czymś intensywnie rozmyśla, nie pytasz o czym, tylko dalej swoje, co ta Zuza, myślisz, co ona kombinuje z tymi zwierzakami, a co, jeśli jej się tam przytrafi, jak ona to mówiła, piękna przygoda?

Chmurzysz się, Patsy to dostrzega i patrzy pytająco.

– Nic, nic – mówisz. Nie wierzy, wzdycha i przewraca oczami.

Kiełbaska zmienia się w węgielek. Ogień jest bezlitosny.

CO ROBIŁAŚ, GDY OGŁASZANO NOWĄ ERĘ DISCO?

38. ŚLEPA PRÓBA

– Szkoda, że pianek nie mamy.

– O, a tamtego kolesia widzisz? –Wiktor pokazuje palcem w półmrok.

– No?

– Przezywają go Kompot, bo opowiada straszne suchary. Wiesz, że kompot z suszu, ha ha.

– Ha ha – śmieje się Patsy.

– Jest taka historia, że kiedyś byliśmy razem w projekcie i ten taki Jaś, kojarzysz Jasia? Miły chłopak, uczynny, no i schodził do sklepu na dole, i spytał, czy nie kupić czegoś komuś, no i Kompot zażyczył sobie colę. No i Jaś poszedł, a że była pepsi w promocji, to ją wziął. No i Kompot strasznie się wkurzył.

– Wkurzył się na pepsi?

– Aha, bo on jej nie tyka, i czaisz, wziął i ją centralnie do zlewu wylał.

– Pojebany – stwierdza Patsy. Wiktor uwielbia, kiedy Patsy przeklina.

– Ano, ale to jeszcze nie koniec, najpierw żeśmy zdębieli, bo weś...

– Mógł oddać komuś – wtrącasz oczywistość.

– ...no właśnie, nie? Każdy niepojeb by tak zrobił – rzecze Wiktor. – No więc wymyśliliśmy, żeby mu dać nauczkę...

– Yyy, nastukaliście mu? – pyta Patsy z dezaprobatą.

– No skądże znowu, dziewczyno, o co mnie podejrzewasz – oburza się teatralnie Wiktor – muchy bym nie skrzywdził, a co dopiero Kompota, choć to głąb. To była prawdziwa nauczka, o podstawach naukowych, jak w *Pogromcach mitów*! Nakupowaliśmy z siedem...? uhm, dokładnie siedem, siedem różnych kolek, koka, pepsi, polokokta, hoopa, jakieś cuda z Biedry i Lidla, i coś tam jeszcze, chyba z Netto? No jakoś tak. W każdym bądź razie zapisaliśmy na kartce nazwy tych kolek, ponumerowaliśmy i rozlaliśmy do kubków, i każdy kubek miał – to ważne! – numer flamastrem zrobiony. No i zaprosiliśmy Kompota, żeby spróbował i rozpoznał, która jest która.

– I co, rozpoznał?

– A skąd. Wziął, upił łyka, zrobił mądrą minę, połknął, następnego, już mniej pewny siebie, przy czwartym to już wyglądał, jakby się zgubił w lesie, nie da się odróżnić przecież, to wszystko smakuje tak samo! Zbłaźnił się tylko, a potem jeszcze musiał szorować kubki, bo mu zostawiliśmy do wymycia, ha ha, a ten flamaster dobrze trzymał.

– Ha ha – śmieje się Patsy.

Ciekawe, czy kartofle są już gotowe. Wygrzebujesz jeden na próbę z popiołu.

– O, zimnioki można jeść.

– A ja bym odróżniła – stwierdza Patsy, przemyślawszy sprawę. – Pepsi jest przecież mniej słodka.

– E? Wcale nie, mnie się wydaje, że jest znacznie słodsza – protestujesz.

– Wiktor, a jak myślisz?

– Nie wiem, nie piję pepsi. A naukowo dowiedliśmy, że się nie da odróżnić.

– Naukowo dowiedliście, że Kompot jest głupi.

– Do tej diagnozy nie potrzebowaliśmy tylu rekwizytów. Kiedyś to on...

– Dość kompotu, daj mi kartofla – żąda Patsy.

– A ja to nawet wolę pepsi – mówisz.

– Niemożliwe, nikt nie woli pepsi.

Patsy ciamka kartofla. Przypominają jej się wizyty u dziadków, grabienie liści z małą Julcią, która uwielbiała się w nich tarzać, zgarniać do siebie i wyrzucać w górę niczym konfetti. Myśli o tym, jak chodziły zbierać kasztany, i o małych ludzikach z kończynami z zapałek. Dokąd poszła ta mała dziewczynka, tak daleko stąd, i czy jeszcze kiedyś wróci?

Patsy otrząsa się ze wspomnień, przytula mocniej do Wiktora, mości się pod jego ramieniem, i jest tu i teraz, i chyba jest szczęśliwa.

39. DOMOFON

– Ach, no tak, tyle dobrego, że to nie złamanie – mówi Patsy do telefonu. – No szkoda, straszna szkoda. Uściskaj go od nas. Tak. Całusy, papa.

Chowa komórkę do torebki.

– Natka dzwoniła – Patsy potwierdza wasze domysły. – Biednego chłopaka czekają dwa tygodnie w temblaku.

– No ładnie – mówi Wiktor – zawsze powtarzam, że z tej całej aktywności fizycznej to nic dobrego nie wynika... Ała, za co! – krzyczy, gdy Patsy szczypie go w tłusty boczek. Chichrasz się.

Robi się ciemno.

– Jest już ciemno, ale wszystko jeeeednooo – Wiktorowi zebrało się na karaoke – mówiiisz do mnie, eee, czy jest ciemno, eee, nananana, nanana...

– Wiktor, ty idź lepiej spać – mówisz.

– Uhm, pora na dobranoc – zgadza się Patsy.

Zrzucacie się na taksówkę, wysadzają cię po drodze i mkną spędzić noc w swoich ramionach. Zapalasz światło w mieszkaniu, jedyne światło w całym uśpionym bloku.

Pusto tu, myślisz. Tyle, co w lustrze odbicie, ale to marne towarzystwo.

Kładziesz się spać, już masz gasić światło, gdy nagle podskakujesz, słysząc dzwonek domofonu. Nie przestaje dzwonić.

Kto to może być, myśli przelatują ci przez głowę, łapiesz się tej najpiękniejszej, to pewnie Zuza wraca ze spotkania z Wilkiem i Zającem, zobaczyła światło i postanowiła wpaść w późne odwiedziny. Zuza, Zuza, szalona Zuza, kochana Zuza. No już, idziesz, spokojnie.

Idziesz i myślisz, że to jednak nie Zuza, pewnie, skąd by Zuza, to pewnie Wiktor się wrócił, bo zapomniał pendrajwa swojego albo coś, może nagrał na nim jakiś film romantyczny, którym będzie robił nastrój Patsy, albo album z muzyką do tarzania się w pościeli, albo co? Trochę bez sensu, po co miałby się tak wracać, dopłacać do kursu, hę? Więc jednak Zuza, myślisz, podnosząc słuchawkę.

– Kto tam?

– Szę otworzyś – bełkocze pijany głos, którego nie poznajesz.

Rzucasz słuchawkę.

Domofon znów zaczyna dzwonić. Dlaczego ja, myślisz, za jakie grzechy? Jaki uczynek, jaka myśl, jakie zaniedbanie?

– No czego? – tracisz cierpliwość.

– No szę otworzyś...

– A kto tam?

– Sąsiat, klusza zapomaaeem...

– Który sąsiad? Jaki numer?

– Szeszesz.

– Tu nie ma tylu numerów.

– Oboszeeee no szę otworzyś...

– Dobranoc.

Nie wiadomo, co to za jeden, a jak ukradnie słoiki z piwnicy? Albo wózek z pierwszego piętra? Albo pobije jakąś nieszczęsną kobietę, jeśli to faktycznie „sąsiat"? Odkładasz słuchawkę, ale jest nie do zdarcia.

Znowu dzwoni. Dosyć tego.

– Słuchaj no, koleś, jeśli nie przestaniesz tu dzwonić, to wezwę milicję! Obywatelską! I się skończą wygłupy!

– A to par-dąsik, po co od rasu tak na ostro, dobre nosy.

– Dobranoc.

Włączasz muzykę w iPodzie, magnetyczny brzuszek wściekłego ptaka wprawia powietrze w ciche drżenie. Gasisz światło i się kładziesz. Nerwy powoli odpuszczają, zapominasz o przygodzie z pijakiem i wracasz do myśli o później wizycie Zuzy. Fajnie by było, ale przecież, uświadamiasz sobie, to nie ona dzwoniła domofonem.

Z mroku dociera do ciebie David Bowie, który śpiewa jeden ze swoich największych hitów, miłosny szept do małej chińskiej dziewczyny.

40. FOLIA ALUMINIOWA

FILIP wraca późną nocą do domu. Na głowę naciągnął kaptur. Miękkie adidasy tłumią odgłos kroków. „Kurwy w futrach", myśli Filip. Jest przemęczony i zdenerwowany. Zatrzymuje się w najbliższej bramie i uważnie lustruje ulicę. Przygląda się bacznie grze cieni na sąsiednim budynku, ale to nie ludzie, tylko kubeł na śmieci. Nie śledzą go, odlicza do pięciu i rusza w dalszą drogę. Żałuje, że gadał wtedy z tamtą laską. A co, jeśli wysłali ją na przeszpiegi? Chwila słabości. Bilety na Fuck Androids spalił w zlewie, a resztki popiołu spuścił w toalecie. Trzeba uważać, być czujnym... ale trzeba też udawać normalnego członka społeczeństwa, bo się domyślą. Ostatnio podwoili patrole.

„Kurwy w futrach", myśli, ale w sumie woli obsługiwać te nieszkodliwe dziwadła niż uśmiechać się do podpitych pomarszczonych dup, każda ma ze czterdzieści lat co najmniej i przychodzą w tę jebaną lejdisnajt, myślą sobie, że wrzucą dwie dychy do skarbonki i już im wszystko wolno. Specjalne zamówienie, kurwa, ściągaj koszulę, skacz po barze i polewaj im piwo, wywalają na niego dekolty, obrzydliwe cyce w wypchanych biustonoszach. Te futrzaki przynajmniej zachowują się z godnością, chociaż chuj wie, kto tam siedzi w środku, pewnie jakieś pedały albo stare baby, ale tak na maksa stare, bo po co by się mieli chować?

Ostatnie pięćdziesiąt metrów. Tu mogą się czaić, szykować zasadzkę. Złapią go i wycisną z niego wszystko, jak nic, boi się tortur, wszystko im powie! Już nie chce wiedzieć, nie prosił się o to!

Tak sobie powtarza, ale w głębi duszy wie, że to nieprawda, że jak tylko wróci do domu, zamknie się w swoim pokoju, dokładnie sprawdzi wszystkie zamki, żeby żaden ze współlokatorów nie wszedł przypadkiem albo celowo, i podłączy się do internetu. Bo prawda, poznawanie prawdy, uczestniczenie w prawdzie, odkrywanie prawdy, daje mu lepszego kopa niż te piguły, które dostawał kiedyś od siostry, zawsze miała jakieś dojścia, zanim się zawinęła i zniknęła gdzieś na Zachodzie.

Połączenie szyfrowane, tunel, proxy, anonimizer, randomizer ip, cały ten szajs, który uniemożliwia im wyśledzenie jego komputera. Dla pewności wymontował z niego moduł wi-fi, a kabel modemu owinął folią aluminiową, to zakłóci pracę skanerów w nieoznakowanych furgonetkach.

Zabezpieczony wchodzi na stronę ruchu oporu, nie interesują go prognozy chemtrailsów ani listy jaszczurów z rządu światowego, uzupełniane codziennie o nowe nazwiska, zagląda do skrzynki kontaktowej, gdzie powinien już wylądować najnowszy numer biuletynu informacyjnego – wszystko, czego nie dowiecie się z oficjalnych mediów.

News dnia, wybity wielkimi literami na początku pliku:

KOLEJNE PRZYPADKI ZACHOROWAŃ,
RZĄDY OFICJALNE MILCZĄ.
SPRAWDŹ, CZY CIĄGLE ISTNIEJESZ

Lekko przerażony Filip czyta o tajemniczej zarazie, wirusie, który rozprzestrzenia się przez internet, atakuje głównie użytkowników sieci społecznościowych. Symptomy – utrata pamięci, zaburzenia postrzegania rzeczywistości, rozpad osobowości przy braku połączenia z siecią znajomych. Skrajne stadium – przekonanie o własnym nieistnieniu.

Filip podnosi dłoń i ogląda ją na tle lampy. Wydaje mu się, że pod pewnym kątem jest przezroczysta, widzi wtedy dokładnie wszystkie kości.

41. SUKCES

Wiktor, wysłany po drugą rundkę, przysyła z baru esemesa, że to chwilę potrwa. Piątkowy tłum, nic dziwnego. DJ znów puszcza Depeche Mode. Patsy korzysta z nieobecności Wiktora i się przyznaje.

– No też nie masz gdzie zaglądać – strofuje ją Zuza. Strofowana dziewczyna robi minę „morały, morały, morały".

– Oj, bo no bo – tłumaczy się Patsy, która wlazła na blog swojego eks i teraz jej głupio.

– No ok, ok, nic ci nie mówiłam – mówi Zuza – bo wiadomo, w domu powieszonego, ale owszem, Sławcio będzie miał sukces. Podobno, podobno mówię, to plotka tylko, Bryndal z Duniem pobili się o to jego opowiadanie, takie jest dobre...

Nie masz pojęcia, kim są Bryndal i Dunio, ale Zuza przyzwyczaiła cię do tego, że wie o różnych dziwnych ludziach, artystach i kim tam jeszcze.

– ...i to nie metaforycznie, normalnie na pięści, jak w *Bridget Jones*. I z rozpędu podpisał kontrakt na powieść, tylko w końcu nie wiem z kim, i zaliczkę nawet dostał. Takie rzeczy.

– Na powieść! I zaliczkę dostał! – wykrzykuje Patsy.

– No tak mówię.

– No popatrz, może to była moja wina, wszystko, tylko mnie brakło i już ma sukces – mówi Patsy, i nie wiesz, czy na serio, czy ironicznie. Zuza na wszelki wypadek puka się w czoło.

– Głupia!

Wiktor wraca wreszcie z alkoholem.

– O czym tak rozprawiacie? – pyta.

– O sukcesie – wyrywa ci się. Patsy morduje cię wzrokiem.

– No właśnie, właśnie – mówi Zuza. – Więc to jest tak, że Wiewiórka Wanda okazała się sukcesem.

– O! – interesuje się Wiktor.

DJ wrzuca jakiś elektroniczny kawałek, którego tytułu nie znasz, chociaż wydaje ci się znajomy, „waiting for a ride in the dark", wyławiasz słowa.

– No, słuchajcie – mówi Zuza – więc Olivier i Cecylia...

– Czekaj, kto? – przerywa Patsy.

– Yyy, no, nasz Wilk i Zając, tak – tłumaczy Zuza. – Ona ma na imię Cecylia, a on Olivier.

– Aaa, no skąd miałam wiedzieć!

– No tak, dobra, cicho, słuchaj – niecierpliwi się Zuza i jest w tym zniecierpliwieniu coś rozkosznie uroczego, aż się uśmiechasz – w ogóle to się okazało, że oni nie są parą, tylko rodzeństwem.

– Eee, ok, ale to żadne zbolki? W sensie, poza tym, że furrysi – pyta Wiktor.

– Nie, no co ty – obrusza się Zuza. – No i się okazało, że z tymi furrysami to jest większa akcja; to wszystko zostało ustawione.

– W jakim sensie? – pytasz.

– Kojarzysz, jak kiedyś postrzegano nerdów? W latach osiemdziesiątych? Takie kujony, okularnicy, cherlaki, wstyd i siara, nie? A potem, kilka lat temu, wszystko się zmieniło, nagle taki styl na nerda stał się modny, filmy, seriale, laski się lansują w okularach i sweterkach – opowiada Zuza.

– No, no, faktycznie – mówisz.

– No i akcja jest taka, że agencje memetyczne na całym świecie pracują nad popchnięciem jakiejś nowej mody i drapią już dno w poszukiwaniu czegoś świeżego. I jakiś geniusz z Belgii wpadł na furrysów. Niżej upaść nie można, nie? Low-life internetu. Ale odpowiednio opakowane – to jest okazja na ciężkie warzyliony. Więc porozsyłał po całej Europie trendsetterów i coolhunterów i sami widzicie, poligon, marketing bakteryjny, miejska partyzantka, dead dropy, trzymają ręce na pulsie.

Nie rozumiecie połowy rzeczy, o których mówi Zuza. To chyba ta scena w *Matrixie*, w której Morfeusz tłumaczy istotę świata.

– No ale co z sukcesem Wandy? – niecierpliwi się Wiktor.

– No to, że wpadła im w oko. I zrobią z niej gwiazdę.

42. ZŁODZIEJ W NOCY

– Zuza, ty idź lepiej spać – mówi zaniepokojony Wiktor, kiedy Zuza zaczyna tańczyć na stole, pijana życiem i kolorowymi drinkami. Zaraz wpadnie ochrona i dostaniecie bana na ulubioną miejscówę.

– Teraz w hipsterstwie jest moda na spanie – śmieje się Zuza. – A żebyś wiedział, że pójdę spać!

– Mójboże – wzdycha Wiktor i ściąga Zuzę ze stołu. Nie można jej w takim wstanie zapakować w taksówkę i wysłać po prostu do domu.

– Chodź, pójdziemy do mnie, to niedaleko – proponujesz, Zuza ochoczo kiwa głową, chochlik. Patsy wzdycha ciężko, ale nic nie mówi. Odprowadzają was z Wiktorem.

Wasza gromadka z przepitą Zuzą nie rzuca się w oczy, to czas pierwszych powrotów, na krawężniku koło przystanku nocnego autobusu kima jakaś dziewczyna, nad którą z troską pochyla się chłopak, szturcha ją i woła „ej, ej". Pod monopolowym Alkohole Świata 24h stoi kolejka, wieczna kolejka, na miejsce każdego obsłużonego noc wypluwa kolejnego klienta, jak w zapętlonej animacji. Wiktor zwalnia kroku przy sieciówce z kebabami i zerka tęsknie na tablicę ze zdjęciami dań, pod którą kłębi się mały tłumek poszukiwaczy zagrychy, ale Patsy ciągnie go za rękaw.

– Idziemy, idziemy – mówi tonem nieznoszącym sprzeciwu. Mija was inny gang, zmierzający w przeciwną stronę, zmiana warty, radośnie podśpiewują jakąś polską piosenkę z Radia Zet albo Eski, machają do was, ciesząc się ze spotkania bratnich dusz niczym turyści na szlaku w Tatrach.

Zuza weszła w tryb zombie, co jest wam na rękę, łatwo daje się sterować i nie rozrabia, docieracie bez problemów pod twoją klatkę. Wiktor i Patsy upewniają się, że sobie poradzicie, i nie wchodzą na górę.

Wiktor zamawia taksówkę, a Patsy całując cię na pożegnanie w policzek, szepce: „uważaj, dobrze?". Kiwasz głową: „nie martw się".

Patsy uśmiecha się smutno. Na końcu ulicy widać przednie światła taksówki.

W mieszkaniu Zuza momentalnie opada z sił, jakby ją zmęczyła, umordowała ta wspinaczka na drugie piętro, osuwa się na krzesło. Ścielisz szybko kanapę, a potem kładziesz Zuzę tam, gdzie kiedyś spała Wiewiórka Wanda. Zzuwasz jej buty i wyciągasz z szafy dodatkowy koc. Przykrywasz dziewczynę, która instynktownie się nim otula i zwija do pozycji embrionalnej. W ciszy mieszkania słychać jej lekko chrapliwy oddech. Idziesz się umyć i przebrać.

Kładziesz się obok, ostrożnie, żeby nie szturchnąć Zuzy, i znów nie możesz zasnąć, mimo wypitego alkoholu i zmęczenia. Patrzysz w sufit. Z zapomnianego wściekłego ptaka nie sączy się kojąca nocna kołysanka, więc po chwili słuch się adaptuje i słyszysz wszystkie odgłosy miasta, które nigdy nie zasypia. Psy, kochankowie, straceńcy spod nocnych sklepów, niezmordowane taksówki i cicha jak desperacja kakofonia tła, jak szum krwi odbijającej się w muszli przyłożonej do ucha. I oddech Zuzy.

Patrzysz na nią, księżyc, tak sobie myślisz, że księżyc, chociaż to pewnie banalne światła miasta rysują jej profil w ciemnościach. Twój palec wyciągnięty w stronę jej twarzy zamiera w powietrzu niczym sparaliżowany. Tak blisko, a jednocześnie tak daleko.

W końcu sen przychodzi jak złodziej w nocy.

WYPOŻYCZALNIA NOSTALGII

43. PUŁAPKA

A kiedy budzisz się wczesnym świtem, obok widzisz tylko zmiętolony koc.

Zrywasz się i rozglądasz – buty Zuzy wciąż leżą na podłodze, torebka stoi na biurku, kurteczka powieszona na krześle. W łazience pali się światło, pukasz, nikt nie odpowiada, naciskasz na klamkę – zamknięte. Pukasz jeszcze raz.

– Zuza, jesteś tam? Wszystko w porządku?

– Nie – odpowiada cicho.

I zaczyna tłumaczyć, że zbudziła się tu i przestraszyła, nie wiedziała, gdzie jest, a potem wszystko sobie przypomniała i zrobiło jej się wstyd, wstyd za pijaństwo, wstyd za stwarzanie problemów, a potem poszło, wszystko jej się poprzewracało, więc schowała się w łazience, i przecież to nie tak miało być, myślała, że na tym zdjęciu znalazła coś prawdziwego i szczerego, a to tylko kolejny szwindel.

– I czuję się, jakbym komuś coś ukradła, że te wygłupy to przecież jest czyjeś życie.

Dziwi cię ten trochę nagły moralniak Zuzy, nie myślisz o furrysach w ten sposób, na poważnie, kolesie w zwierzęcych strojach, głupie żarty, nic więcej. Kaca ma i histeryzuje, nie? Ziewasz mimowolnie, głowa pęka ci z niewyspania, kawy, kawy, kawy.

– Zu, to przecież nie tak, wyjdź, to pogadamy na spokojnie...

I wtedy się okazuje, że nie może wyjść, bo ten cholerny zamek się zaciął. Zuza zaczyna się śmiać.

– Nie śmiej się, nie wiem, jak to otworzyć!

– No to klops – chichra Zuza. – Zostanę tu na wieki, zamurowana jak projektant piramidy. Oj, głupia ja, głupia ja.

Wtem – wpadasz na pomysł i zastanawiasz się tylko, czy nie jest za wcześnie, ale trudno, nie widzisz innego wyjścia.

– Zu, poczekaj chwilę, sprowadzę pomoc!

Narzucasz na siebie bluzę, wzuwasz kapcie i schodzisz piętro niżej. Naraz dopada cię przestrach i palec wyciągnięty do przycisku dzwonka zamiera w powietrzu niczym sparaliżowany, oddychasz ciężko i jednak naciskasz. Słyszysz kroki i dzwonienie kluczy. Po chwili drzwi otwierają się na szerokość łańcucha, wygląda zza nich sąsiad, który zrobił ci kiedyś wjazd na chatę i podkleił krzesło.

– Czego... aaa, uszanowanie! Cóż sprowadza do starego sąsiada o tak wczesnej porze?

– Dzień dobry, właśnie, bo pan z pewnością coś poradzi, otóż zamek w łazience... – oględnie tłumaczysz, co się stało.

– No, no, jasne, chwileczkę – zamyka drzwi i słyszysz hałasy, wreszcie drzwi się otwierają i starszy pan wychodzi ze skrzynką z narzędziami w ręku.

I kiedy wreszcie otwiera drzwi, Zuza rzuca się wybawcy na szyję, niczym sierotka na milionera z powieści Kornela Makuszyńskiego, a on pierwszy raz w swym długim życiu nie wie, co powiedzieć, więc wybąkuje tylko „uszanowanie”, wycofuje się kapciowym moonwalkiem i szura do siebie.

Odczekujecie, aż zejdzie na swoje piętro, i padacie sobie w ramiona, wybuchając śmiechem. Patrzysz w oczy chochlika i widzisz, jak płoną. Trwaj, chwilo, wołasz w myślach, ale chwila nie słucha, Zuza chce uciekać, wracać do domu, musi!

Ale nabierasz odwagi i powstrzymujesz ją. Po chwili wahania przyjmuje propozycję i zostaje na śniadanie.

44. KARMA

Wychodzisz przed klatkę, poranne słońce razi przemęczone oczy.

Miasto nie zasypia, ale osiedle pogrążone jest w weekendowym półśnie. Młodzieży nie widać, studenci ledwo co wrócili do wynajmowanych mieszkań, dzieci jeszcze nie zwlekły się z wyrek albo siedzą przed telewizorami i oglądają przygody Scooby-Doo na Polsacie. Matki robią śniadania, ojcowie się golą albo stoją na balkonach, paląc papierosy. Miasto należy do emerytów, kładących się wcześnie i wcześnie wstających, jakby w nadziei na podarek od Boga, żyjących swoim niezależnym od miasta rytmem, w parabiozie, jak osobny gatunek.

Czarno-biała kotka, niekoronowana królowa osiedla, wyłania się zza krzaka i podchodzi, prężąc grzbiet, wykrzywia pyszczek w bezgłośnym miauknięciu. Patrzy na ciebie wyczekująco, potem wstaje i ociera się o nogi. Głaszczesz ją po karku i idziesz dalej. Pozostaje niepocieszona i rozczarowana.

– Dzień dobry! – mówisz, wkładając spory wysiłek, żeby zabrzmieć rześko.

– Mrukmruk – odpowiada właściciel osiedlowego sklepiku.

Kręcisz się chwilę po sklepie. Na końcu do koszyka ze sprawunkami dorzucasz saszetkę z kocią karmą. Kotka nie straciła nadziei i czeka wciąż obok ścieżki, wydeptanego skrótu do sklepu. Rozrywasz saszetkę z pewnym trudem i wytrząsasz jej zawartość pod kępką trawy. Kotka patrzy na ciebie, potem wącha jedzenie i znów patrzy. Dopiero kiedy odchodzisz kilka kroków dalej, zaczyna jeść.

Wracasz do domu ze śniadaniem na kaca, bułki, kiełbaska i żurek z gorącego kubka. Zuza, jak na kogoś we wczorajszych ciuchach, wygląda dość wyjściowo, umyła się, ogarnęła fryzurę i nie śmierdzi wódką. O nocnych szaleństwach przypominają tylko podkrążone oczy. Wystarczy ją nakarmić i można wypuścić samą w świat.

No więc. Nie wiesz, jak rozpocząć rozmowę o tym porannym ataku moralnej paniki, więc nie zaczynasz, żujesz bułkę z kiełbasą i siorbiesz żurek, Zuza też, i z tego żucia i siorbania nachodzą ją filozoficzne myśli.

– Mamy technologię i informacje o wszystkim. Czemu jest coraz gorzej?

– Hm? – bułka przeszkadza w mówieniu.

– Głupota, nienawiść, cały ten jazz.

– Świat się wcale nie skurczył – dumasz – świat się powiększył, stał się bardziej przerażający.

– Aha. Kawy!

Jest i kawa.

– Niedobra woda, a kawa całkiem dobra – dziwi się Zuza.

Na Polsacie kończy się Scooby-Doo. Fred zrywa maskę z potwora, okazuje się, że to nie żaden duch, tylko jeden z mieszkańców miasteczka, który – tłumaczy Velma – odnalazł jaskinię ze skarbem i chciał odstraszyć innych potencjalnych znalazców.

– I udałoby im się, gdyby nie te wścibskie dzieciaki! – wykrzykuje Zuza.

– Ej, jak to zawsze jest jakiś facet w kostiumie – zastanawiasz się – to dlaczego od razu nie ściągną mu maski, tylko uciekają jak przed prawdziwym duchem?

– Może spotkali jakieś prawdziwe duchy i wolą nie ryzykować.

– A co, jeśli wśród furrysów są prawdziwe zwierzęta, które nauczyły się mówić i chodzić na dwóch nogach?

– A co, jeśli przebierają się za ludzi i chodzą między nami?

45. BEZRADNOŚĆ

PIOTR siedzi w swojej kajucie, ubrany w granatowe polo.

Odlicza dni do powrotu, skreślając je długopisem w kalendarzyku wielkości karty kredytowej, który zawsze nosi w portfelu. Ma w nim również zdjęcie żonki i dziecka, przygląda mu się, chowając kalendarzyk, i myśli o tym, jaka jego rodzina jest bez niego bezradna.

W wolnych chwilach nie patrzy na bezkres oceanu, bo już się napatrzył, nie wznosi wzroku ku niebu, bo już się naoglądał, kosmos i morza nie mają przed nim tajemnic. Zagląda do książek, uczy się i rozwija, najpierw języki obce, kursy na laptopie, potem filozofia, przegryza to wszystko podręcznikami zawodowymi, ma w głowie całą ścieżkę kariery i kroczy nią bez ustanku. Albo otwiera notes i zapisuje rzeczy do zrobienia na lądzie. Tyle trzeba zaplanować, tyle zrobić, a tak mało czasu. Kto ma się tym zająć, przecież nie jego żonka, która jest jego kochaną porcelanową laleczką i nie da sobie rady sama w tym okrutnym świecie. Dobrze, że mamusia ma na nią oko, że pomaga przy dziecku i pilnuje pod jego nieobecność, żeby nie stała jej się jakaś krzywda. Albo pisze maile, niezbyt długie listy, które wysyła pocztą elektroniczną przez satelitę, na morzu nie ma zasięgu sieci komórkowej ani internetu, skajp i rozmowy są możliwe tylko w portach.

Piotr myśli o żonie i krew zaczyna mu krążyć w okolicach krocza. Nie jest łatwo, na morzu, wiadomo, ale Piotr to porządny marynarz, kocha swoją robotę nie mniej niż swoją rodzinę. To nie jeden z tych utracjuszy, przed którymi ostrzegają wszystkie nadmorskie matki, tylko nie wychodź za marynarza, mówią córkom, zobaczysz, taki ma narzeczoną w każdym porcie i tyleż chorób wenerycznych.

Piotr nie jest ślepy i widzi takich kolegów, nic nie mówi, bo to świetni towarzysze, przeżyli razem niejedną przygodę, jak idą na lądzie do podejrzanych barów, w których neony kuszą „the best girls" za jedyne pięćdziesiąt baksów, albo innych szczęściarzy, co zostawili żonę w domu, a na statku przygruchali sobie kadetkę i spędzają z nią miłe chwile. Te kadetki, kto to w ogóle widział, Piotr pamięta przyśpiewkę jeszcze z harcerskich obozów żeglarskich, którą śpiewał mu ojciec, „co za dziwny zbieg natury łódką płynie, choć w niej dziury? Mocium panie, dużo kołków na zatkanie!". Takie czasy parszywe nastały, kobiety w załodze, co jeszcze? Pedały kiedyś się pozaciągają, tak będzie!

Ale i Piotr jest facetem i musi, nawet ksiądz o tym mówił na naukach przedmałżeńskich, że facet musi, rozładować napięcie. Na takie okazje wozi ze sobą płytę, którą kupił kiedyś w Hamburgu, nawet nie wiedział, że są takie fikoły, ale gdy obejrzał raz i drugi, nie mógł otrząsnąć się z niedowierzania, nic na świecie nie wprawiało jego pompy w ruch tak jak te kilka krótkich filmów wypalonych na płycie zamaskowanej wygodnie jako sterowniki do komputera.

Zamyka się szczelnie w kajucie, zakłada słuchawki Philipsa i włącza film, na którym piersiasta blondynka ubrana w szpilki, ołówkową spódniczkę, białą bluzeczkę i żakiecik próbuje wyjechać samochodem z błota, w którym bezmyślnie utknęła. Koła boksują, silnik ryczy, nie daje rady. Wychodzi z auta i próbuje je popchnąć, szpilki toną w kałuży. Albo inny, na którym brunetka w bikini i szortach usiłuje odpalić samochód, dusi na sprzęgło, przekręca kluczyk, silnik rzęzi i gaśnie.

Są takie bezradne, zupełnie jak jego żonka. Piotr pociera penisa i tęskni za domem.

46. CZTERY MILIONY

– Skoro nie jedzą mięsa, to dlaczego tu wszystko wygląda jak mięso? – dziwi się Wiktor, przeglądając kartę dań w lokalu Wegejedzonko.

– A co jeśli jest na odwrót i to mięso wygląda jak wegejedzonko? – pytasz filozoficznie.

Wiktor nie odpowiada, bo oto otwierają się drzwi i wchodzi spóźniona Patsy. Dostajesz powitalne „hej" i muśnięcie policzkiem, a potem całują się z Wiktorem.

– Co tam? – pyta Patsy.

– Zastanawiamy się, co było pierwsze, kotlet mielony z mięsa czy z cieciorki.

– Kotlet z jajka czy kotlet z kury.

– Nie wiem, czy to właściwe miejsce na rozmowy o mięsie – zauważa Patsy i bierze do ręki menu. – Chociaż, hmm, dlaczego tu tyle potraw wygląda jak mięso?

– No właśnie!

Patsy zamawia placki ziemniaczane w sosie pieczarkowym, Wiktor warzywne lazanie, a ty kebab, pamiętasz, jak siedzicie tu z Zuzą i jesz kebab, to miłe wspomnienie, milsze niż przepełniająca cię tęsknota.

– O, jakie dobre – dziwi się Wiktor. Odkąd zdrowo się odżywia, zaczął odkrywać nowe smaki i, jako ofiara przedszkolnej stołówki, jest nimi zachwycony.

– Ile mi zajęło czasu – opowiada – żeby nauczyć się jeść czerwoną kapustę. Raz podali ją w przedszkolu, taką rozgotowaną, i myślałem, że, hm, wiecie co, to nie jest temat na rozmowę przy jedzeniu.

– Nie rozmawiaj o jedzeniu przy jedzeniu – mówisz.

– I o pracy przy pracy – dodaje Patsy.

– O, no właśnie, rano miałem rozmowę z kierownikiem. Jadę do Chin – oznajmia Wiktor. – Na delegację. Za tydzień. Na dwa tygodnie.

– Do Chin? Całe dwa tygodnie? – smuci się Patsy.

– Oj, no widzisz, kochanie, wcale nie chciałem, tylko trochę nie miałem wyboru. Chiński oddział odpala nowy projekt i trzeba ich przeszkolić. Planowali wysłać Chyba Marka, zresztą lepiej siedzi w temacie, ale sama wiesz, po tym wypadku.

Patsy kiwa głową, uciekając wzrokiem w talerz.

– Szybko zleci, zobaczysz, będę codziennie skajpował.

Ostatnim razem kebab był smaczniejszy. Mówisz o tym na głos.

– Zasada pierwszego strzału – stwierdza Wiktor – bierze człowieka z zaskoczenia i jest zajebiście, więc czekasz, że następnym razem będzie równie zajebiście albo jeszcze lepiej. Ale nigdy nie jest, bo masz już oczekiwania i najarkę. Pesymiści mają lepiej w życiu, bo niczym się nie jarają i zawsze oczekują najgorszego. Mogą się najwyżej rozczarować pozytywnie.

– Nie można się „rozczarować pozytywnie" – robisz cudzysłowy palcami.

– Można, ja się pozytywnie rozczarowałem tą pyszną lazanią!

– Placki też pyszne, spróbuj Wisiu – wyrywa się Patsy.

– Wisiu! – wołasz radośnie. Wiktor nie wie, kogo najpierw zamordować wzrokiem.

– No – mówi zrezygnowana Patsy – taki misiu, tylko Wiktor, więc Wisiu. No, nie obrażaj się!

– Nie obrażam! – zapewnia Wisiu.

– A ty jak na nią mówisz? – pytasz, chichocząc.

– Nie mów! – woła Patsy.

– Nie powiem – mężnie stwierdza Wiktor – będę milczał jak grób.

Ale nie milczy, tylko zmienia temat – czy Planetarianie od Kapitana Planety byli wege? Bo on może w różne rzeczy uwierzyć, ale nie w to, że ten rudy Amerykanin, co miał moc ognia, był wege, na pewno wciągał po kryjomu hamburgery.

– Przecież był ekowojownikiem – protestuje Patsy.

– Tacy są najgorsi, tylko blokują budowy autostrad i elektrowni atomowych.

– No bo żaby...

Wiktor postanawia nie drążyć.

– Właściwie to skąd się brał Kapitan Planeta? – pyta, żeby uniknąć rozmowy o żabach. – Zawsze myślałem, że oni go przyzywają, jak Gwiezdnego Króla z Yattamana.

– Yattodettamana, to nie to samo – prostujesz.

– No w każdym razie gdzieś siedzi i się teleportuje.

– Nie, on powstaje z ich połączonych mocy, przecież mówi – polemizujesz – oni wołają, co tam było, ogień, wiatr, ziemia, woda, eee...

– Serce – przypomina Patsy.

– No tak, serce, i on wtedy się pojawia, i mówi: „z waszych połączonych mocy jestem ja, Kapitan Planeta".

– To gdzie jest, jak go nie ma? – dopytuje się Wiktor.

– Nie wiem, pewnie rozdziela się na te moce i znika w tych ich pierścieniach. Jak dżin. Może on jest dżinem.

– Co to w ogóle za moc, serce? – dziwi się Wiktor.

– Hej, mam moc ognia, mogę przypiec wrogów, a ja mogę ich zalać wodą, a ja mogę ich UKOCHAĆ, ha ha.

– A jak by wyglądał Kapitan Planeta, gdyby nie miał serca? – mówi Patsy.

Wiktor popada w zadumę, w milczeniu kończy lazanie, myśląc już nie o mocy serca, ale o tych wszystkich cudach czekających w dalekich Chinach. Sprawdził w wikipedii, jak na ich warunki to małe miasto, jedynie cztery miliony mieszkańców. On sam jeden, no, nie licząc trzech kolegów, z którymi leci, kontra cztery miliony Chińczyków. Po raz pierwszy w życiu pewny siebie Wiktor odczuwa trwogę.

47. KOLACJA

Dzień, w którym ostatni raz spotykasz Zuzę, zaczyna się jak każdy inny.

Kotka na dachu samochodu przed szkołą. Kawa z piekarni. Tramwaj. Ludzie. Pierwsze ostrzeżenie, coś się zmieniło – nudna korposzczurka, którą widujesz codziennie w drodze do pracy, nie ma dziś na sobie smętnego biurowego munduru, ale przebrała się za kobietę. Krótka sukienka w czarno-białe paski, że można prawie w majty zajrzeć, jak ktoś się odpowiednio ustawi, na to kusa kurteczka paradna, sandałki na szpilkach, ale co najdziwniejsze, uśmiecha się, pierwszy raz, od kiedy pamiętasz. Miłość czy nowe, lepsze prochy?

Tramwaj zatrzymuje się na światłach, w dniu, w którym ostatni raz spotykasz Zuzę. Podnosisz wzrok znad komórki i widzisz, jak w oknach na ostatnim piętrze centrum handlowego, gdzie mieści się siłownia, ludzie biegną przed siebie, nie ruszając się z miejsca. Ze wzrokiem wbitym w rodzący się dzień gonią za niedostępną perfekcją, którą posiadły manekiny z wystaw na niższych piętrach. Komórka drży w twoich rękach, oznajmiając nadejście esemesa od Zuzy, w dniu, w którym ostatni raz ją spotkasz, z propozycją kolacji z Olivierem i Cecylią.

W odpowiedzi wciskasz przyciski 7-8-7-3-7, 4-3-9-4-3, i wysyłasz.

W dniu, w którym ostatni raz spotykasz Zuzę, jesz na lunch kanapkę od Pana Kanapki, rozmyślając o nadchodzącym wieczorze. Jednym uchem słuchasz, o czym gadają ludzie znad darmowych gazet, docierają do ciebie strzępki opowieści o kimś, kto poszedł na kurs prawa jazdy na motor i z niego zleciał, bo był za lekki. Wiktor korzysta z okazji, że w okolicy nie ma nikogo, kto uszczypnąłby go w boczek, i rzuca tekstem o harleyowcach, którzy powinni mieć na czym postawić sobie piwo. Ach ten Wiktor, nigdy się nie zmieni, nawet kiedy się zmieni.

Resztę dnia, w którym ostatni raz spotkasz Zuzę, spędzasz na pracy. Wiktor tłumaczył Patsy, która spytała go o robotę, że zatrudnia was Fabryka Much, wisicie sobie pod sufitem i czekacie, aż przyjdzie gówno, a jak przychodzi, to się zlatuje i obrabia. Oboje byli pijani, więc się śmiała, zresztą okazała się o wiele bardziej wyluzowana, niż Wiktor przypuszczał na początku. Więc właśnie przyszło wielkie gówno i widzisz, że dziś go nie skończysz, ale próbujesz obrobić jak najwięcej się da i wypchnąć chociaż kawałek do następnej muchy przy taśmociągu, żeby nie myśleć o tym w czasie kolacji.

Wracając z pracy w dniu, w którym ostatni raz spotkasz Zuzę, myślisz o przemianie dziewczyny z tramwaju i postanawiasz ładnie ubrać się na wieczór. Stoisz przed lustrem, podziwiając efekt, i mimowolnie myślisz o tych wszystkich okazjach, kiedy warto było się stroić, przepadły w czasie, jak łzy na deszczu, pozostawiając niemiłe wspomnienia.

W dniu, w którym ostatni raz spotkasz Zuzę, nie zbiegasz, a schodzisz po schodach. Nie skracasz sobie drogi przez szkolne podwórko, masz jeszcze trochę czasu. To niedaleko, Zuza czeka na ciebie pod zegarem na końcu pasażu, dostrzega z daleka i macha radośnie.

Dzień, w którym ostatni raz spotykasz Zuzę, zapamiętasz nie po tym, jak wyglądała, ale jak smakowała i jak pachniała.

QUIS
VEXABIT
IPSOS
VEXATORES?

48. JETLAG

Olivier i Cecylia wyglądają jak klony, chociaż nie wiesz, czy Cecylia jest klonem Oliviera, czy na odwrót. Oboje w całkowitej czerni, w najczarniejszym dostępnym odcieniu, „blackhole black". Faliste grzywki wyglądające jak lustrzane odbicia. Uśmiechają się synchronicznie, a potem Cecylia, a po niej Olivier, całują powietrze wokół Zuzy. Zuza dokonuje prezentacji, witacie się, Olivier zatrzymuje dłużej wzrok na tobie, wygląda na zadowolonego tym, co widzi.

Siadacie przy zarezerwowanym stoliku.

– Togusa, ten od dead dropa, to któreś z was? – pytasz z ciekawości.

– Nie, akurat trafiła się czyjaś inicjatywa, zasialiśmy więc ziarno – mówi Cecylia.

– Ale jakie były szanse znaleźć kogokolwiek w ten sposób?

– Ty mi powiedz! Jak wyłowić z tłumu kogoś ciekawego? – Olivier unosi palec.

– Nie wiem – wzruszasz ramionami. – Wiem, że żebyśmy tu wszyscy dziś się znaleźli, musiało się zdarzyć tyle zupełnie przypadkowych rzeczy...

– I o to chodzi! W tym cały cud życia, w losowości, w nieprzewidywalności! – wykrzykuje Cecylia. Oboje mówią z lekkim akcentem.

– Karmiczne połączenie! Wyjdź z domu pół godziny wcześniej albo pół godziny później, nie wiesz, co się stanie. Ale na koniec dnia trafiamy tam, gdzie powinniśmy się znaleźć – stwierdza Olivier.

Kelnerka rozdaje karty dań. Olivier i Cecylia przebiegają je wzrokiem, od niechcenia, Zuza studiuje z uwagą. W pewnym oszołomieniu, nie możesz się skoncentrować, bierzesz to samo, co Zuza. Tak to zapamiętasz, „to samo, co Zuza".

Olivier i Cecylia mają po trzydzieści pięć lat, ale wyglądają na jakieś dziesięć lat młodszych. Mogą się wtopić w tłum dwudziestolatków. Trzeba dobrze poszukać i wiedzieć czego, żeby poznać prawdę.

„To samo, co Zuza" jest pyszne, pyszne jest również wino. Nie znasz się na winach, ale wiesz, co ci smakuje.

Olivier i Cecylia mówią o współczesnej młodzieży i dwudziestolatkach, nazywają ich – to taki branżowy żargon, wyjaśnia Olivier – Najdżelami.

– My tylko tworzymy plany dla Najdżelów. Chcemy tego, co jest dla nich najlepsze – tłumaczy.

– Podajemy im pomocną dłoń – dodaje Cecylia.

– Ktoś musi zaprojektować ten świat, inaczej się w nim zagubią.

– Future shock. Cywilizacja pędzi tak szybko, że nasze dusze zostają w tyle.

– Accelerated culture, jetlagged souls – rzuca Olivier. – Mówimy o pokoleniu, co ma zajebistego jet laga, ale wydaje im się, że są takim nowym typem człowieka, który nie potrzebuje spać.

– Aż przyjdzie pierwsza noc, powie „sprawdzam", przewrócą się i prześpią dobę – dorzuca Cecylia.

– I do kogo wtedy się zwrócą? Telewizja, popkultura, to ich kształtowało.

– Kiedy drożeje kiełbasa, nikt się tym nie przejmuje. Ale zobaczcie tylko na ACTA, jak tylko chcieli im zabrać seriale z internetu, to od razu marsze, zamieszki, o mało nie spalili Warszawy.

– A co będzie, jeśli się znudzą? – pyta retorycznie Olivier.

– I dlatego potrzebujemy Wiewiórki Wandy – dopowiada Cecylia.

Strzelają słowami jak z karabinów maszynowych, kanał lewy, kanał prawy. Najdżele nie mają z nimi najmniejszej szansy, oni już wygrali, zanim zaczęła się wojna.

49. WIELKI ŚWIAT

Olivier i Cecylia prawią komplementy Zuzie. Są już po negocjacjach, mogą się otworzyć.

– Bo widzisz – Olivier zwraca się do ciebie i w jego głosie słychać ciepłą rzewność – to nie jest tak, że każdy może sobie wskoczyć w fursuita i zostać gwiazdą.

– O nie, trzeba naprawdę silnej osobowości, żeby strój mógł się nią posilić. Zupełnie jak zbroja Iron Mana – tłumaczy Cecylia – zadziała tylko na Tonym Starku, bo on ma reaktor w sercu.

Powstrzymujesz się od naprostowania, że nie w sercu, tylko na piersi, ale łapiesz ideę.

– I ta oto Zuza – rzecze Olivier, a uśmiechnięta Zuza wznosi mikrotoast bez grama fałszywej skromności – ma w sobie taką siłę ożywiania.

– Wystarczyło, że zobaczyliśmy, jak Wanda tańczy – opowiada Cecylia – to było prawdziwe. Normalnie furrysy bardzo gubią się w tych strojach, mówią tyle, że tym wyrażona jest ich prawdziwa dusza, ale, heh, duszą się w nich.

– To nie jest ich wina, to są całe pokolenia pozbawione energii. Nie tylko Najdżele. Nasi rówieśnicy też. Inaczej bylibyśmy niepotrzebni.

– Oni są tacy, hm, niezaprogramowani – szuka Cecylia – jak drewniane marionetki, czekające, aż ktoś pociągnie za sznurek.

Popijasz te słowa winem, rozpiera cię duma, ta Zuza, ach! Ciągle nie rozumiesz tylko jednej rzeczy.

– Ale właściwie dlaczego furrysy?

Olivier i Cecylia patrzą na siebie, jakby odbywali telepatyczną rozmowę.

– Tak naprawdę... – zaczyna Olivier.

– ...ten dalekosiężny plan... – mówi Cecylia.

– ...zna tylko nasz szef... – kontynuuje Olivier.

– ...który to wszystko zmontował – kończy zdanie Cecylia.

– Ale to nie jest facet, z którym się wchodzi w takie dyskusje.

– On się naprawdę zna na tym, co robi. To najlepszy inżynier memetyczny w Unii Europejskiej.

– I okolicach.

– To on zaprojektował drugą falę powrotu ejtisów i cronuta!

– Cronuta? – dziwisz się.

– Poczekaj jeszcze kilka miesięcy, to zobaczysz – mówi Olivier, patrząc ci głęboko w oczy.

Zuzę, czy też Wiewiórkę Wandę, czekają teraz dwa intensywne tygodnie, sesja zdjęciowa dla „Playboya" i kilka innych wydarzeń.

– Możesz pojechać ze mną – mówi, gdy Olivier i Cecylia idą na papierosa i zostajecie na chwilę sami – jeśli chcesz.

Chcesz, ale wiesz, że nie możesz, masz związane ręce. Gorący okres w Fabryce Much, nie ma szans na wzięcie niezgłoszonego wcześniej urlopu.

– Ale będę czekać, aż wrócisz, nigdzie się stąd nie ruszę przecież – mówisz i próbujesz się uśmiechnąć.

Zuza podchwytuje ten uśmiech, w jej wykonaniu z nutką smutku, pochyla się do ciebie i przeczesuje twoje włosy, aż trafia na kark, patrzy ci prosto w oczy, widzisz, że jej chochlikowe ogniki zgasły, ale i że świeci w nich zupełnie nowy, nieznany blask. Zuza przyciąga cię do siebie, nie zważając na innych ludzi w restauracji, zresztą każdy i tak zajęty jest swoim towarzystwem, i całuje, teraz masz pewność, że to nie sen, głęboko i zachłannie, tak jakby wyruszała w drogę, z której się nie wraca, i chciała zabrać ze sobą pamiątkę. Odrywa usta i odwraca wzrok, zawstydzona.

– Nie zapomnij mnie – mówi Zuza, nie patrząc na ciebie w dniu, w którym spotykasz ją ostatni raz. Nie rozumiesz, o co jej chodzi.

Nigdy nie zapomnisz, obiecujesz skinięciem głowy.

50. ZATAŃCZ Z NASZĄ DZIEWCZYNĄ

OLO wygląda jak krasnolud, tylko ma rzadszą brodę. Siedzi obok Krzycha na kanapie i uczą się do kolokwium, to znaczy po podłodze walają się ksera notatek i puszki po piwie, a oni strzelają się w Halo. Olo wygrywa, bo jest lepszy, więc niepocieszony Krzych wyciąga asa z rękawa:

– Pamiętasz tę starszą pannę, co ją wyrwałem na disko? No to teraz posuwam ją i jej najlepszą przyjaciółkę... naraz! Dwie suczki, nananana – nuci.

Olo z wrażenia wypuszcza kontroler z rąk, co Krzych wykorzystuje do sprzedania mu headshota.

– Ej, to nie fair – obrusza się Olo i nie wiadomo, czy chodzi mu o grę, czy o niesprawiedliwą dystrybucję suczek, że jak to, dwie dla Krzycha, a dla niego znowu nic. – Ale weś, opowiadaj!

Krzych wciska pauzę i opowiada, że zaczęło się od takiej imprezki, na którą poszedł z jedną suczką, i spotkał tam takiego kolesia z Londynu, który jak się spił, to mu opowiedział, że w Londynie to teraz każdy z każdym, polki-amorki czy jakoś, i że on to ma dwie na stałe i kilka orbitujących; a potem Krzych pokłócił się o coś ze swoją panną, a ta jej psióła przy tym była i go pocieszała, i jakoś tak razem wyszli, a reszta jest, jak to mówią, historią, i skończyło się tak, że postanowili być razem we trójkę.

– No i jak to jest? – dopytuje Olo, któremu coś dziwnie skrócił się oddech.

– Człowieku, fantastycznie – rzuca niedbale Krzych. – Najpierw, wiesz, podwójne obciamkanie, potem się liżą, a ja sobie patrzę, a potem wiadomo, na zmianę, taa, zupełnie jak na filmach.

W głowie Ola krystalizuje się obraz Krzycha na podobieństwo plakatu z *Gwiezdnych wojen*, tylko zamiast Luke'a z mieczem jest Krzych z potężną erekcją, a u jego stóp zamiast księżniczki Lei klęczą dwie panny Krzycha.

– He he he – mruczy Krzych, patrząc na zamglony wzrok kolegi, ale w środku wcale nie jest mu wesoło. Nie powie przecież, że to wcale nie było jak na filmach, że te starsze dupy cały czas mu wydawały polecenia, bo poczuły, że to one mają wszystkie karty przetargowe, że walnęły się na wyro i kazały obsługiwać, że jak powiedział, że się zmęczył i czy by się trochę nie zajęły sobą, a on by popatrzy, to powiedziały, że go chyba pojebało, bo nie są lesbami, i jeszcze „co jest, chłopczyku, nie dajesz sobie rady z dwiema prawdziwymi kobietami?", i jak w końcu nie wytrzymał i doszedł pierwszy, to się śmiały „ach, Cysio, gdzie ty się tak śpieszysz", i że jak go dosiadły naraz, to zaczęły gadać o swoich poprzednich chłopakach, „no ładnie, Cysio, o tak, dobrze, ale, Asia, mówiłam ci, jakiego ja kiedyś znałam ogiera", i że w ogóle czuł się, jakby był ich psem.

Ale nie powie o tym wszystkim zdyszanemu krasnoludowi, bo wie, że w jego, Ola, świecie jest teraz największy herosem, smokojebcą level 99, mistrzem ruchaczy i ekspiaczy, wzorem do naśladowania i osobistym Jezusem, o którego przygodach Olo będzie fantazjował w kolejne samotne wieczory. Więc Krzych postanawia się poświęcić i to ciągnąć, chociaż nie wyciąga z tego układu ani miłości, pamięta jeszcze miłość, ani zbytniej satysfakcji. Ale zrobi to, zrobi to dla wszystkich chłopaków, którzy marzą o byciu na jego miejscu, poświęci się dla nich, zrobi to!

CZĘŚĆ TRZECIA

51. WŚCIEKŁE PSY

Chlup, kolejna kolejka.

– Patison – przyznaje się Patrycja.

– No całkiem ładnie, Patisonku – mówisz bez cienia szydery. Taka czułość u Wiktora, kto by pomyślał.

Chlup.

– Tęsknię – mówi Patison.

– Wiem. Ja też.

– Wiem.

Chlup.

– Zuza powiedziała mi, że nie da się zapomnieć miłości.

– Zuza zawsze była superoptymistyczna, kocham ją, wiesz przecież, ale czasem ta jej radość wkurwia mnie jak mało co – rzecze Patsy.

– Wiesz, że to skomplikowane.

– Musimy więcej wypić.

Chlup.

– Wiem, że to skomplikowane, nawet nie wiesz jak bardzo. I mówiłam, uważaj...

– Uważam, uważam przecież – kłamiesz, bo przecież nie powiesz jej o tym wszystkim, co wyczytujesz nocami z sufitu.

– Miałam taką fumfelę w liceum i chodziła z takim studentem, potem się okazało zresztą, że to nie był żaden student, tylko tak gadał, i też mówiła, że uważa, uważa, i co, tyle jej z tego przyszło, że nie zdała matury, on wyparował, i tyle miała szczęścia w tym wszystkim, że jej starzy z dzieciakiem z domu nie wyrzucili.

– Wypiję za to.

Chlup.

– Dlaczego to się nazywa „wściekły pies" właściwie?

– Nie wiem. Spytaj barmana – mówisz.

– Ha ha, na pewno będzie wiedział, ej, halo, halo – macha ręką Patison – a ten „wściekły pies" to dlaczego się tak nazywa właściwie?

– Eee, nie wiem, chyba od tego filmu – kręci głową barman i stawia przed wami kolejne kieliszki pełne wódki z sokiem i tabasco.

– Aha...

Chlup.

– To nasz rodzimy wynalazek – słyszycie niski głos z boku. Facet, łysy, koszula i marynarka, jeden z wielu, jacy się tu kręcą, w tym lokalu dla starszych panów, wstęp od dwudziestego piątego roku życia, i pań w wieku dowolnym, z delikatną sugestią, bo wstęp od osiemnastki. Patsy dziś dobrze wygląda, nieszczęsna słomiana wdowa, jak bardzo odzwyczaiła się od samotności, chodź na miasto, mówią Asie, gdzie one są właściwie, zabawimy się, obczaimy nowe miejsce, będzie fajnie, zobaczysz, i faktycznie jest fajnie, są wściekłe psy i jest fajnie.

– Słucham? – pyta Patsy i machinalnie trzepocze rzęsami.

– Wściekłe psy – dosiada się łysy. – Otóż w latach dziewięćdziesiątych był taki pub, w filmowym stylu, fotosy, plakaty i tak dalej, i tam każdy drink miał jakąś nazwę związaną z kinem.

– Uhm – Patsy uświadamia sobie, że wcale nie chciała wiedzieć, ale chyba jest za późno.

– Ale tylko jeden drink, właśnie wściekły pies, stał się sławny, głównie za sprawą konkursów, które tam organizowali, kto więcej wypije. I znają go dziś w całej Polsce, a nawet za granicą – ciągnie łysy – nazywają go „mad dog", co jest śmieszne, bo powinien nazywać się przecież „reservoir dog"! Śmieszna historia, co nie?

– Boki zrywać! – woła Patsy i daje znaki oczami: „ratunku".

– Cześć, jestem Witek – Patsy przewraca oczami, koleś ma ponad cztery dychy i tak zdrabnia, kto to widział. – Jestem dziennikarzem, spisuję kronikę miasta, znam dużo takich ciekawostek. Możesz mnie zapytać, o co chcesz, droga... hm?

– Karolino – kłamie Patsy.

– Ach, Karola, piękne imię! Moja pierwsza dziewczyna miała na imię Karola! – cieszy się Witek, jakby było z czego. – Może to jakiś znak?

– Och – wzdycha Patsy. Myśli o tym, że mogłaby się dobrze bawić, i postanawia, że się dobrze bawi. Witek jest w nią tak wpatrzony, że w ogóle ignoruje twoją obecność.

52. PRAWO JAZDY

– Ha ha, a skąd, trzydzieści cztery! – mówi Witek, kiedy na pytanie „a jak myślisz, ile mam lat" Patsy odpowiada „czterdzieści dwa". I na dowód z kieszeni marynarki wyciąga portfel i dokumenty, faktycznie, Witold Karpa, urodzony 16 kwietnia 1978.

– O rany, wielkie sorry! Ale wstyd – wstydzi się Patrycja „Patsy" Poręba, ps. „Karola" – ale wiesz, Witek, wyglądasz tak poważnie, jak prawdziwy dorosły.

Witek wcale się nie obraża, rozgrywa sytuację na swoją korzyść:

– Widocznie nie spotkałaś jeszcze prawdziwego mężczyzny.

– Ależ, Witoldzie! – Karola odgrywa scenkę „mdlejąca dziewica", wściekłe psy obudziły w niej dawno uśpiony licealny głód teatru, czas szkolnych przedstawień i przebrzmiałe marzenia o aktorstwie.

W prawie jazdy Witek wciąż ma stare zdjęcie, pokazuje je Karoli, lekko pucaty dzieciak z 1998 roku patrzy ufnie w przyszłość, proste blond włosy sięgają mu do ramion. Ten rozdźwięk między pociesznym młodzieńcem i przedwcześnie postarzałym Witkiem roztkliwia Karolę. Myślisz o Olivierze i Cecylii, jak czas obchodzi się różnie z ludźmi, z czego to się bierze?

Ale oto słyszycie przeciągłe „'elooo", zapodane unisono, nadchodzą Asie, przebrane za bliźniaczki, zsynchronizowane fryzury, makijaż i czarne sukienki z różowymi detalami. Patsy podrywa się je powitać, daje każdej po pół tulaska i rozdziela buziaki w policzki, szepcząc między cmokami „dziś mam na imię Karolina". Asie przyjmują tę deklarację bez mrugnięcia okiem.

– Co tam, Karola, la?

– Przepraszam, gdzie moje maniery, proszę, poznajcie się, Witek, dotrzymuje nam dziś towarzystwa.

Asie witają się z Witkiem, Witek wita się z Asiami.

– O, cześć! – dostrzega cię jedna z Aś. Rytualny cmok.

– A Zuza gdzie? – pyta druga. Rytualny cmok.

– Ważne sprawy – robisz gest rękami i nie wtajemniczasz ich w szczegóły, bo to sekret. – Jeszcze z tydzień jej nie będzie.

– Ach – przyjmują do wiadomości Asie, przywykłe do tego, że Zuza czasem znika z radaru.

– A ten przyjdzie? – odruchowo rzucasz w przestrzeń pomiędzy Asiami pytanie o studenta, zbyt późno łapiąc się na tym, że o skandalicznym związku wiesz jedynie z plotki. Asie są kompletnie nieprzejęte.

– Ha ha, Cysio?

– Tak, przyjdzie, dostał esemesa, gdzie jesteśmy i żeby wpadł.

– I odpisał, że wpadnie, ha ha.

Coś je strasznie śmieszy, czyżby perspektywa publicznego obnoszenia się ze swoim niemoralnym związkiem, zastanawiasz się, ha ha, bawi cię ta myśl, rok 2012, zbliża się koniec świata, czas odwiesić moralność na kołku i całować się z żonami marynarzy. Ale z drugą myślą przychodzi niepokój, próbujesz więc otrząsnąć się nieco ze wściekłopsiego otępienia i patrzeć na ręce Witoldowi.

Który właśnie opowiada Karoli jakąś zabawną historyjkę. Próbujesz się wsłuchać, ale zbyt szumi ci w głowie, wyłapujesz co piąte słowo i nie potrafisz złożyć ich w sensowne zdania. Musi być zabawna, bo Karola się śmieje, i tym razem z historyjki, a nie z Witolda.

POLSKA HIPSTEREM NARODÓW

53. HATEFUCK

– Dzień dobry – mówi komórka Asi głosem kreskówkowego zombika. Asia zerka i wybucha śmiechem, pokazuje treść esemesa stylówowej bliźniaczce i śmieją się razem. Za chwilę komórka drugiej Asi rozbrzmiewa *Born this way*, wyłącza dźwięk dzwonka i pozwala komórce wibrować, aż dzwoniący się poddaje. Chichoczą się obie.

– Z czego się śmiejecie, dziewczyny? – pyta Witek. Kiedy coś się dzieje, a on nie wie co, to aż go wszystko swędzi, dziennikarska wysypka.

– Ja to głównie z kotów na kwejku – droczy się Asia. – Widziałeś takiego kota, co mówił „co ja pacze"?

– Mnie najbardziej bawi „mięsny jeż" – mówi druga Asia i zaczyna śpiewać – „mięsny jeż, mięsny jeż, ty go zjesz, zjesz, zjesz".

Witek jest teflonowy i odporny na każdą szyderę. Znów obraca sytuację na swoją korzyść i opowiada o swojej koleżance, która wzięła udział w jednym odcinku *Pamiętników z wakacji*, założył się z nią, żeby przeseplenila jedno zdanie, a ona ambitnie podjęła wyzwanie, o mało co jej nie wywalili, reżyser się wkurwił po trzeciej dokrętce i poszło.

A potem odbiera esemesa i przeprasza, ale musi już iść, i zostawia Karoli swoją wizytówkę, licząc, że ta odwzajemni gest i poda swój numer telefonu. Karola udaje, że nie wie, o co chodzi, i tylko zapewnia, że zadzwoni, tak, na pewno, dzięki za miły wieczór.

– Karolino! Co to za akcja? – mówi Asia.

– Akcja na wakacjach, he he, nic takiego – odpowiada Patsy. – Nudy na pudy, moje drogie, więc rzuciłam się w wir przygody. Lepiej powiedzcie, co to za śmichy-chichy, robicie głupie zdjęcia ukradkiem i wysyłacie esemesem? He?

– Uczymy Cysia manier – wyjaśnia Asia.

– Aha? – dopytuje się Patsy, wpatrując się w wizytówkę Witolda, w końcu chowa ją do torebki. Na wszelki wypadek. Widzisz to i nie wiesz, co o tym myśleć, więc nie myślisz nic.

I w końcu, nadrobiwszy zaległości w drinkach, Asie zaczynają opowiadać.

– Zemsta – mówią jednocześnie.

– Najpierw byłam wściekła – mówi Asia – bo to był nóż wbity w plecy, i to przez najlepszą przyjaciółkę, no już się nie przejmuj, kochanie.

– Przepraszam, tak – w głosie drugiej Asi wciąż słychać poczucie winy – ale to było tak, że miałam w czubie i on to wykorzystał, prawda.

– I jak się zastanowiłyśmy – kontynuuje Asia – to doszłyśmy do wniosku, że wykorzystał nas obie. Nie mogłam dopuścić do tego, żeby jakiś szczyl zniszczył naszą przyjaźń.

– Więc postanowiłyśmy się zemścić. Skoro nas wykorzystał, to my wykorzystamy jego.

– Maksimum upodlenia.

– A ile przy tym zabawy!

– I naprawdę zbliżyłyśmy się do siebie. Najlepsze przyjaciółki.

– Na zawsze.

– Na zawsze.

Patsy przyjmuje te rewelacje z pozornym spokojem, ale dostrzegasz, że delikatnie marszczy czoło.

– Sypiacie z nim z nienawiści? – dopytuje się.

– No tak! – woła Asia. – Hate is the new black!

– No i, hi hi – śmieje się Asia – bo zaprosiłyśmy go, żeby wpadł.

– Ale tu przecież nie wpuszczają... – wysilasz umysł i w końcu rozumiesz.

Asie przybijają sobie doskonale zsynchronizowaną piątkę.

54. DOROŚLI LUDZIE

– Która godzina? – pyta Patsy.

– Trzecia.

– To u Wiktora jest...

– Uhm, dziewiąta.

– To pewnie już w pracy, mój kochany pracuś.

Siedzicie w małym pubie, otwartym do ostatniego klienta. Przystań dla imprezowych rozbitków, jedna grupka, parę par, w głośnikach chillout, w szklankach piwo, żeby przypadkiem nie wytrzeźwieć. Asie zmyły się z jakimś starszym facetem, więc nie było co tam siedzieć, całe doświadczenie było dość przykre, jakby ktoś zrobił lokal dla miłośników Trzeciego Programu Radia. Albo Złotych Przebojów.

– Kochany pracuś, tak – powtarzasz machinalnie.

– Ojej, powiedziałam to na głos – uświadamia sobie Patsy.

– Przy świadkach.
– Kochany, kochany – Patsy smakuje to słowo, jakby mówiła je pierwszy raz.
– Miłość w czasach popkultury – przypominasz sobie koncert i Zuzę.
– Miłość w czasach nienawiści – odpowiada Patsy.
– A więc jednak.
– Nie wiem, najwyraźniej, chyba tak. Czy to nie dzieje się wszystko zbyt szybko? – duma Patsy. – Nie powiesz mu nic, obiecaj?
Obiecujesz.
– Boję się. Czuję presję. Czuję, że czas mnie goni, że zmarnowałam tyle życia, że nie mogę się teraz poddać, tylko muszę dalej biec. Ale boję się, że to zamuli mój osąd, że znów popełnię błąd, że wtedy już nie będzie odwrotu. Że obudzę się któregoś dnia po czterdziestce i będę musiała zaczynać wszystko od nowa, stara i pełna żalu, że nie obczaiłam innych opcji.
– Wiktor to dobry chłopak – ręczysz.
– Wiem, ale tu nie chodzi o niego, tu chodzi o mnie, może ja nie zasłużyłam sobie na miłość?
– Głupia!
– No ej!
Łapiesz ją za dłoń.
– Każdy zasługuje, bezwarunkowo.
– Do tej pory tak nie było. Zawsze musiałam się narobić, nastarać. Wiktor niczego nie chce, to jest dziwne, wiesz? – Patsy patrzy ci w oczy.
– Nie, nie jest.

– Dla mnie jest – odwraca wzrok i zmienia temat. – Dobra, jakie zajmiemy oficjalne stanowisko w sprawie wybryków Asiąt?

– E, no – nagły przeskok wytrąca cię z rytmu. – Dorosłe są, wiedzą, co robią?

– Ha ha – śmieje się Patsy – z pewnością są takie dorosłe! I wiedzą, co robią!

– To zupełnie jak ja. Klub możemy założyć. Dorośli ludzie, którzy wiedzą, co robią.

Lokal nieco się wyludnił.

– A ja nie chcę być dorosła, za długo byłam dorosła.

– Dobra – mówisz – ogłaszam dzień dziecka. Idziemy grać w Bombermana.

– Dziś? Za dużo wrażeń, jak na jeden dzień.

Dopijacie piwo, barman zbiera szklanki i robi zbolałą minę.

– Pora na nas, co nie, Patisonku?

Patison całuje cię na pożegnanie jak siostra.

Patrzysz, jak odjeżdża taksówką, i idziesz do domu, rozmyślając nad tym wszystkim. Patsy się boi. Każdy się boi, myślisz, żyjemy w nieustannym strachu. Kiedyś bomba atomowa, potem AIDS, potem terroryści, a dziś co? Miłość! Strach przed lataniem. Olivier i Cecylia pewnie mieliby na to wszystko jakąś zgrabną teorię i jeszcze wytrzepaliby z niej kasę. Ciekawe, co teraz robi Zuza. Baluje z furrysami albo śpi, ciekawe, co jej się śni?

Przystajesz przed skrzyżowaniem, przez okno sieciówkowej kebabowni dostrzegasz parę, dziewczyna i chłopak, wcinają frytki z jednego pudełka. „Zrób am", czytasz z ruchu warg chłopaka, dziewczyna otwiera buzię i dostaje frytkę. Żuje ją uśmiechnięta, z całego świata najszczęśliwsza.

55. GRAPHIC INTERCHANGE FORMAT

ANGELA jest ubrana w letnią sukienkę, białą, w drobne czerwone kwiaty, które konkurują z jej rudymi włosami.

– Only dead people know what happens when you die and that frustrates me – mówi Angela z kiepskim akcentem, ale to akurat nie jest ważne.

– Stop, stop – woła Seymour.

Angela przewraca oczami, wzdychając ciężko. Jest zmęczona i podirytowana, to już szóste ujęcie.

– No co znowu, co tym razem źle?

Olka odsuwa się od kamery i wyciąga paczkę fajek z kieszeni. Widziała to nie raz, więc ma teraz czas na spokojne wypalenie papierosa. Odszukuje wzrokiem Alfa, który zrezygnowany odkłada kij z mikrofonem i człapie w kierunku Olki. Bez słowa wyciąga rękę i bez słowa dostaje fajkę i ogień.

– Dziewczyno – jęczy Seymour i wysuwa ku niej dłonie rozczapierzone w geście rozpaczy.

– Seymour, please, nie histeryzuj, tylko powiedz.

– Angela, zlituj się, ile mogę tłumaczyć – Seymour jedną dłonią przeciera twarz, od czapki aż do końca swojej gęstej brody, drugą zasłaniając się od Angeli. Też jest zmęczony i podirytowany. – Zrozum, nie jesteś w teatrze, nie interesuje mnie, jak grasz ciałem, jeśli nie zagrasz mikroemocji. Twarz, dziewczyno, twarz.

Robi nagle dwa szybkie kroki w stronę aktorki i stoją teraz, niemal stykając się nosami, Angela cofa się zaskoczona – i wciąż piękna, słońce odbija się w jej rudych włosach – ale zbyt wolno, już złapał ją za policzki i ugniata niczym ciasto, delikatnie, lecz stanowczo.

– Rozluźnij się, czemu jesteś taka spięta, Angela, proszę, czy coś bierzesz? Powiedz mi, że nic nie bierzesz.

– Nic nie biorę, daj spokój – uwalnia się Angela, nagle dziwnie spokojna.

– Dobrze, dobrze, przepraszam – jej spokój udziela się Seymourowi. – Zobacz.

Zajmuje jej pozycję. Olka pytająco unosi brwi, Seymour uspokaja ją gestem dłoni. Olka wzrusza ramionami i wypuszcza kłąb dymu.

Reżyser bierze kilka szybkich oddechów i przeciąga się. Po chwili jest już zupełnie skupiony.

– Only dead people know what happens when you die and that frustrates me – mówi, odgrywając scenę. Angela patrzy oszołomiona.

– Kumasz? – pyta Seymour. Angela kiwa głową.

Ma tylko dziesięć sekund. Dziesięć sekund na zagranie całej sceny, wypowiedzenie linijki tekstu z nieistniejącego filmu. Sceny, która zostanie nagrana i przerobiona na animowanego gifa, dziesięciosekundową animację bez dźwięku, z nałożonymi napisami pasującymi do ruchu warg Angeli. A potem wrzucona do internetu, niczym kukułcze jajko, pomiędzy krążące po sieci fragmenty prawdziwych filmów. Artefakt z równoległego wymiaru, wydestylowana emocja. Po co kręcić cały film, pomyślał sobie kiedyś Seymour, skoro po latach wszyscy i tak pamiętają pojedyncze sceny? I ten pomysł uratował mu życie, tchnął sens w egzystencję wypalonego reklamowego wyrobnika.

Alf nie ma pojęcia, dlaczego Seymour upiera się, żeby nagrywać dźwięk, skoro nie jest użyty w finalnym dziele, ale nie kłóci się, dawno temu nauczył się, że z artystami nie ma co dyskutować.

– Chcesz snickersa? – pyta Olkę. Olka kiwa głową.

Alf wyciąga podwójny baton, rozrywa opakowanie i podaje Olce, która szeleszcząc, odsłania połówkę oblanego czekoladą karmelu z orzechami. Przez chwilę chrupią w harmonii, patrząc, jak Seymour pokazuje Angeli scenariusz. Dziewczyna czyta wskazany fragment i kiwa głową ze zrozumieniem.

– Dobra! – woła Seymour. – Na miejsca!

Angela się ustawia. Alf pakuje do kieszeni zgniecione opakowanie po batonie i łapie za mikrofon. Olka staje za kamerą.

– Ujęcie siódme! – strzela klapsem Seymour i usuwa się szybko na miejsce reżysera. Budżetu nie starczyło na asystenta.

– Only dead people know what happens when you die and that frustrates me – mówi Angela tak, jakby naprawdę frustrowało ją to, że tylko zmarli wiedzą, co się dzieje po śmierci.

– Cięcie! – woła Seymour i zaczyna bić brawo. – Pięknie, doskonale, tak!

Olka zatrzymuje taśmę i przez chwilę jeszcze patrzy przez wizjer, jak Angela zaczyna płakać.

56. DZIEŃ DZIECKA

– Nigdy w życiu?

– Nigdy.

– Musimy!

I zgodnie z pijacką obietnicą zabierasz Patsy do salonu gier w centrum handlowym. Mieści się między kawiarenką i sklepem z wystrojem wnętrz, ciemna jama z kolorowym bannerem nad wejściem. Mrok rozświetla poświata bijącą od monitorów, niczym tokijskie neony. Maszyny przekrzykują się w elektronicznym zgiełku, próbując zwrócić uwagę potencjalnych graczy. Mijacie ustawione przy wejściu gry sportowe, gdzie można sprawdzić siłę swojego kopa, automat do tłuczenia młotkiem w koreańskie króliki, stoły do ponga, symulator motocykla i klasyczny pinball z Batmanem, kierując się w stronę ukrytego w głębi kiosku, w którym w półśnie czuwa właściciel salonu. Rozmieniasz dwie dychy.

Para dzieciaków ściga się wirtualnymi ferrari, jakieś gimbusy walczą z terroryzmem przy pomocy plastikowych karabinów. Strzelają do wielkiego ekranu niewidzialnymi pociskami, trafione kanciaste postacie migają i znikają.

– No dobra, pokaż tego Pokemana – mówi Patsy, nastawiona nieco sceptycznie, chociaż powoli udziela jej się magiczny nastrój tego miejsca.

– Bombermana – poprawiasz Patsy i prowadzisz ją do automatu po lewej.

Na ekranie miga kolorowy komiks, w którym roboty-ninja rzucają w siebie slapstickowymi bombami. Wrzucasz monety i zaczynasz grę na jednego gracza, żeby pokazać co i jak.

– To proste – tłumaczysz – tym chodzisz, a tym stawiasz bomby, uważaj tylko, żeby nie zastawić sobie drogi...

– A tym? – pyta Patsy.

– A tym się odpala na odległość, ale trzeba mieć power-upa.

– Dobra, dawaj.

Runda pierwsza.

– Uciekaj!

– Uciekam!

– Bum! – skrzeczy głośnik. Patsy ledwo unika śmierci, pikselowa fala uderzeniowa z bomby postawionej przez komputerowego przeciwnika przechodzi tuż obok. Patsy krzyczy odruchowo, biegnie przez labirynt, zostawia bombę i chowa się za winklem.

– Bum! – eksplozja zmiata z planszy przeciwnika, który eksploduje w komiczny sposób.

– No kurwa! – wyrywa się Patsy, aż gimbusy-antyterroryści odwracają głowy i kręcą nimi z niedowierzaniem, „stara wariatka!”.

Patsy przygryza wargę, dawno się tak nie czuła. Bliskość zagrożenia uruchamia adrenalinę, satysfakcja z zabicia wroga to dla niej zupełnie nowe uczucie. Wydaje jej się, że zrasta się z maszyną (opowie ci o tym później, kiedy będziecie siedzieć w food courcie, siorbiąc truskawkowe szejki z McDonalda), która wciąga ją do środka, do świata gry, zupełnie jak w filmie *Tron*, którego nie widziała, więc nie wie, że to zupełnie jak w filmie *Tron*.

Patsy czuje, że ma kontrolę, posłuszny Bomberman wykonuje jej rozkazy, jest panią życia i śmierci, jakie tu wszystko jest proste, zachwyca się później, pijąc truskawkowy proszek rozpuszczony w rozpuszczonym mleku, żeby zawsze tak było.

I kiedy gimbusy kończą z terrorystami i dorzucają monety do waszego automatu, akt wypowiedzenia wojny, w trzech rundach, Patsy jest na nią gotowa, jakby urodziła się gotowa i czekała prawie trzy dekady właśnie na ten dzień, kiedy przy pomocy dwóch precyzyjnie umieszczonych bomb i power-upa pozwalającego na zdalną detonację pokaże dwóm jebanym gimbom, że wyskoczyli do niewłaściwej laski, kurwa!

57. DZIEŃ MATKI

Patsy chciała iść na *Królewnę Śnieżkę*, bo gra tam panna ze *Zmierzchu*. Zapowiada się takie fantasy jak *Władca pierścieni*, więc czemu nie, myślisz, no i dzień dziecka to dzień dziecka. Patsy namówiła na kino Natkę, która chętnie się zgodziła, chociaż Chyba

Marek powiedział, że po jego trupie, nie będzie się zbliżał do *Zmierzchu*.

– Ale przecież to nie to samo! – mówisz.

– No, dla niego to samo, nienawidzi Kristen Stewart – wzrusza ramionami Natka, masz wreszcie okazję przyjrzeć jej się uważniej, dziewuszka taka, sympatyczna, cała z zeszłorocznego H&M.

– Powinni klub z Wiktorem założyć – mówisz, wspominając wszystkie wasze dyskusje – klub hejterów.

– A ja tak bardzo lubię *Zmierzch* – rzecze Patsy.

– Team Jacob czy team Edward? – pyta ostrożnie Natka.

– Oj, nawet nie o to chodzi – wzdycha Patsy. – Podoba mi się ta fantazja, że Bella jest taką kluseczką kompletną, a chłopcy się o nią troszczą.

– To akurat mnie drażni! – mówi Natka.

– No, ja to rozumiem, ale jak się pięć lat podcierało dupę królewiczowi i zmarnowało najlepsze lata życia, wiesz, pojęcia nie masz, jaka z ciebie szczęściara, to się marzy o odpoczynku, dla odmiany – najwyraźniej Patsy zdążyła opowiedzieć Natce historię życia.

– Nie myślałam o tym w ten sposób... – mówi Natka i gubi wątek. – Chcemy popcorn?

– Chcemy.

I colę, i orzeszki M&M's, bo jest „dzień dziecka" i dziś można. Natka nie wie, że jest.

– To doskonały pomysł – cieszy się, kiedy zostaje wtajemniczona. – Każdy dzień powinien być dniem dziecka.

– Ładnie by ludzkość wyglądała – mówi Patsy.

Myślisz o tym, że wieczny dzień dziecka to akuratny pomysł dla Oliviera i Cecylii, mogliby z tego zrobić kampanię w społecznościówkach.

– Jak Król Maciuś Pierwszy – przypomina sobie Natka. – Oni tam zrobili rządy dzieci i to się wszystko źle skończyło.

– Ludzkość jeszcze nie dojrzała do niedojrzałości – chichra się Patsy.

– Ważne, żeby nie przesadzać w żadną stronę – mówi poważnie Natka.

– Z kolei hobbity dojrzałość osiągały dopiero w wieku trzydziestu trzech lat – zauważasz.

– O rety – Patsy łapie się za głowę – od trzech miesięcy mój chłopak jest dorosły!

– Byłby, gdyby był hobbitem! – śmieje się Natka.

– A nie jest? – filozofujesz. – Hobbity są długowieczne, ludzie też żyją dłużej niż dwieście lat temu, więc trzydzieści trzy to jest nowe dwadzieścia pięć...

– A dwadzieścia pięć to ile teraz? – pyta podejrzliwie Natka.

– Nie wiem, to było tak dawno!

– Ja mam dwadzieścia cztery! – oznajmia Natka.

– O rety, urodziłaś się w osiemdziesiątym ósmym?

– O rety, o rety, co w tym dziwnego – irytuje się Natka – wiele osób się wtedy urodziło!

– Przepraszam, po prostu pamiętam osiemdziesiąty ósmy – mówisz i postanawiasz już nic nie mówić.

– Ja też! – woła Patsy. – Poszłam do zerówki i nauczyłam się czytać. Zaraz potem urodziła się Julcia i siedziałam i jej czytałam, to było miłe. A najpierw jej nienawidziłam! Żal miałam. Mama leżała z nią długo w szpitalu. I wyrzucili mnie z przedstawienia na Dzień Matki.

– Jak to? – dziwi się Natka.

– Normalnie, po przedszkolu miało być, a mnie kazali iść do domu, bo byłam bez mamy.

Natka wyobraża sobie zomowców wyprowadzających małą Patrycję z przedszkola w środku mroźnej zimy.

WSZYSTO BĘDZIE UŻYTE PRZECIWKO TOBIE

58. CIACHO

Najgorsze w świętach są dni po świętach, gdy mija euforia, jedziesz tramwajem do pracy, słuchawki głosem Florence Welch zamykają cię w iluzji prywatnego świata, ludzie jak cienie przemykają na horyzoncie porannej nieświadomości. Zamykasz oczy i znów jesz tort, bo Natka mówi „skoro dziś dzień dziecka, to żądam tortu".

I ciągnie was przez dwa ronda do kwiaciarnio-kawiarni, gdzie podają wielkie kawałki bezowego tortu z przecudnymi dodatkami.

– Kiedyś wszystko było takie proste – mówi Patsy – a teraz świat stał się dziwnym i nieprzewidywalnym miejscem.

– Hm-mmm? – pyta Natka buzią pełną bezy i kremu.

– No wiesz, kiedyś jak była Królewna Śnieżka, to zjadała jabłko, krasnale w płacz, szklana trumna, kiss-kiss od księcia i happy end – Patsy rysuje szlaczki widelczykiem. – A dziś dziewczyna musi się nabiegać, naskakać, jeździć konno, walczyć mieczem, ci kolesie to jej w sumie do niczego nie byli potrzebni.

– No jak, no jak – protestuje Natka. – Bardzo ładnie wyglądali, obaj, ten książę, no i łowca, tak, hi hi – śmieje się lekko nerwowo i szybko chowa za kolejnym kęsem tortu.

Ledwo tłumisz parsknięcie, myśląc o Chyba Marku i jego zacięciu sportowym, które w ogóle nie przekłada się na chude i blade ciało, gdzie mu do muskulatury filmowego amanta.

– Pyszne ciacho – mówisz i, no właśnie, zmieniając temat rozmowy, pytasz, jak tam ręka Chyba Marka.

– Lepiej, lepiej – mówi Natka – ale z początku strasznie się denerwował, bo nie mógł biegać zbyt i w ogóle, nie radził sobie sam.

Patsy czuje się nieco *awkward*, takie słowo właśnie przyszłoby jej do głowy, gdyby ją spytać „jak się czujesz", i nie umiałaby znaleźć polskiego odpowiednika, i potrzebuje wyrzucić to w końcu z siebie.

– Głupio z tymi Chinami wyszło – mówi.

– A wiesz, że wcale nie? – Natka macha widelczykiem. – W sumie to się ucieszył, bo może sobie mecze spokojnie oglądać, a bał się, że tam nawet przez sieć nie złapie.

– No, kiepsko jest, Wiktor ma niby wi-fi w hotelu, ale nawet skajpa nie pociągnie, zrywa ciągle – wzdycha Patsy. – Wysyłamy sobie maile, jak zwierzęta.

– Och, to romantyczne! – mówi Natka. – Prawie jak list. W życiu nie dostałam listu...

– Droga Patrycjo, zjadłem dziś psa – mówisz, naśladując głos Wiktora, chociaż wiesz, że napisałby przecież „kochany Patisonie".

– Ha ha, psa – przewraca oczami Patsy. – Wiesz, ile razy słyszałam ten dowcip?

– Zjadłabym psa – mówi Natka – na pizzy. Na pizzy zjadłabym wszystko.

– Ha ha.

– Poważnie!

Otwierasz oczy i znika tort i Natka, i Patsy ssąca w zamyśleniu widelczyk.

Wraca poranek, całe miasto wydaje ci się zbudowane ze starych kartonów oklejonych kolorowym papierem, pod wiatą zrobioną z pudełka po zapałkach stoją ludzkie sylwetki wycięte z brystolu, twarze narysowane kredkami, koślawą kreską, przez dziecko, które nie umie jeszcze oddawać emocji.

W słuchawkach Florence krzyczy.

59. DROP DEAD

Wieczór.

Poczta – przeczytana.

Zdawkowe raporty od Zuzy, przeprasza, bo tyle się dzieje; zdjęcie – Wiewiórka Wanda i Pani Królikowa markują picie szampana; zdjęcie – Zuza z potarmoszonymi włosami i innymi oznakami zapracowania; wiadomość – ascii-artowe całusy.

Parę zdjęć od Wiktora – Wiktor zjadający coś dziwnego na patyku, betonowe wieżowce tonące we mgle, ludzie przemykający przez ośmiopasmowe skrzyżowania pełne budowlanych ciężarówek i osobowych skuterów, gigantyczny komunista patrzący z przeszłości na nowoczesne miasto, ludzie karmiący ryby w parku, Wiktor pozujący z uśmiechniętymi mieszkańcami, senna panda żująca pęd bambusa. Pisze, że mają mięsne cukierki i że wcale nie ma psów do jedzenia, i że w McDonaldzie można zamówić kaczkę z ryżem.

Powiadomienia z fejsbuka, zaproszenia do głupich gier od znajomych, których właściwie nie znasz, koledzy z pracy, migające na korytarzach twarze przepisane w dwudziestu pięciu tysiącach sześciuset pikselach, przyjmowani do znajomych przez grzeczność.

Newsy z forum miłośników Bombermana. Wyniki międzynarodowego turnieju. Nudy.

Spam, któremu udało się przedrzeć przez antyspamowe pułapki. Czytasz go w nagrodę, skoro już tu dotarł.

Tyle.

Uruchamiasz konsolę. Bomberman nie cieszy jak kiedyś, sieciowe mecze nie przynoszą ci satysfakcji, nawet gdy wygrywasz jeden za drugim i zbierasz punkty w hall of fame. Brakuje ci Patsy i jej nieokrzesanego entuzjazmu, jak ona rozniosła tych gimbusów, to było coś. Rzucasz pada na kanapę. Gdyby tak zaprosić Patsy na Bombermana?

Mogłaby przyjść, wyobrażasz sobie, że przychodzi, zamawiacie pizzę i gracie, Patsy rzuca kurwami, że martwisz się, że dziadek z dołu usłyszy, a potem, po kilkunastu meczach, pijecie piwo i rozmawiacie o życiu, opowiadasz o swojej tęsknocie, której niczym nie możesz ugasić, a wtedy Patsy wpada na pomysł, żeby pójść do Wiktora, ma przecież klucze, i podłączyć się z jego maka do kamerki Wandy, której zapomnieliście zdemontować, tylko jakie Wiktor ma hasło, bo na pewno ma hasło.

Ot, i cała fantazja na nic, nie będzie hakowania Zuzy, skrzeczy rzeczywistość.

Więc myślisz sobie, że można by sprawdzić dead dropa, czy ktoś wrzucił coś nowego, usypiasz laptopa, pakujesz go do torby, przedłużacz do USB – sprawdzasz – leży w mniejszej kieszeni. Schodzisz po schodach, nieśpiesznie, bo nie ma się po co śpieszyć, leniwy spacer, może potem kawa i pączek, myślisz, mijając kawiarnię, niezbyt pełną.

Przejście podziemne. Graffiti, plakaty, pozamykane sklepy, drewniane drzwi, które prowadzą donikąd, zamknięte od zawsze.

Wyciągasz z torby przedłużacz i podchodzisz do dead dropa, schylasz się, żeby wetknąć wtyczkę, i trafiasz w pustkę. Tam, gdzie powinien wystawać czubek pendrajwa, zieje mała szara jama. Ktoś go wyrwał. Musiał użyć narzędzi, dostrzegasz teraz drobiny cementu na podłodze, ciekawe, jak często tu sprzątają?

Wracasz na powierzchnię, idziesz zamówić kawę i ciastko, siadasz z laptopem na wygodnym fotelu z widokiem na ulicę. Uruchamiasz komputer i dopiero po chwili uświadamiasz sobie, że to przecież bez sensu, skoro nie masz żadnych nowych plików do sprawdzenia. Dziwnie się czujesz, odczuwasz coś w rodzaju fantomowego bólu po wyciętym fragmencie rzeczywistości.

60. SCOOBYBOOB

WŁADYSŁAW Olewiński siedzi przy biurku w pracy i udaje, że pisze coś na służbowym thinkpadzie. Z lewej ma stertę papierów, gazety i magazyny przetykane książkami, z prawej – resztę kawy z dystrybutora.

Władysław jest wkurzony. Czym? Wieloma rzeczami.

Na przykład jest wkurzony na Jura, swojego kolegę z wydawnictwa, który po panelu na festiwalu – całkiem udanym, warto było się tłuc te siedemset kilometrów z Warszawy, zwłaszcza że zapłacili – zaciągnął go do prowincjalnego klubu, a potem zostawił samego, zmywszy się z dwiema – tak, dwiema! – młodymi dupami. Chyba siostrami!

Nie to, że mu zazdrości. Raz, że jest od lat szczęśliwie żonaty, dwa, że jest zbyt mieszczański na takie hece. I po trzecie, po krótkiej konwersacji z pannami – musiały być z piętnaście lat młodsze! – sklasyfikował je jako typowe przedstawicielki tego okropnego pokolenia ludzi, którzy wloką się przez życie jak gluty, kleją to tu, to tam, szukają sobie jakichś centralnych fantazji, sami nie wiedzą, o co im chodzi. „Może byś mi zaczęła zawracać dupę dopiero, jak już się dowiesz", ledwo powstrzymał się w klubie, gdy wyższa z sióstr robiła mu streszczenie ostatniej dekady. Władek jest więc wkurzony na kolegę za zmarnowany wieczór, mógł go spędzić spokojnie z laptopem w hotelowym barze, przepijając diety.

A znowu właśnie w tej chwili Władek jest wkurzony na uprzykrzonego trolla, który nawiedza od jakiegoś czasu jego blog. To dobry blog, dostał nawet nagrodę specjalną w plebiscycie na blog roku, Władek wrzuca tam teksty, których nie miał szans sprzedać, trochę rozważań o muzyce, filmach i polityce. Jako dość znany dziennikarz przyciągał zawsze różnych wariatów, przychodzących zostawiać liczne komentarze nie na temat, które usuwał; nie szczędził też, gdy zaszła potrzeba, banów. Ale ostatnio stał się obiektem ataków trolla, który nie odpuszcza, wraca pod nowymi nickami, łącząc się przez zmieniające IP serwery proxy.

Władek w ogóle częściej jest wkurzony, niż nie jest, takie czasy przyszły, skończyły się tłuste lata, kryzys sięga łapą i wciąga pod wodę kolejnych znajomych, świat stał się wrogim i nieprzyjaznym miejscem. Jak tu się nie wkurzać na siebie, gdzieś skręcił źle w wyścigu do sukcesu, nikt nie powiedział, którędy biec, pomylił gwiazdy z odbiciem w stawie. I jest wkurzony na tych, co się nachapali, jak prosiaki z *Folwarku zwierzęcego*, w garniturach i na dwóch nogach, a jego czeka co? Zawał przed sześćdziesiątką i rzeźnia? Takie ponure myśli nawiedzają Władka, chociaż czas obszedł się z nim łaskawie – nie wygląda na swoje czterdzieści trzy lata i nie stetryczał doszczętnie, gust muzyczny grawituje mu wprawdzie od muzyki do tańca w stronę muzyki do kotleta, ale nie na tyle, żeby stracić kontakt z nastoletnim synem, z którym dzieli bibliotekę iTunes i konsolę do gier.

Konrad Olewiński, lat szesnaście, bardzo kocha tatę, ma półkę książek, które od niego dostał, w każdej jest serdeczna dedykacja, ale czasem ma dość tego poważnego traktowania, tego partnerstwa, tego braku przestrzeni na jakikolwiek bunt, wchodzi wtedy do internetu i może dać upust emocjom. Wymyśla sobie nowy nick – może ScoobyBoob? – zakłada jednorazowy e-mail, a potem starannie wyszukuje proxy, którego ojciec jeszcze nie zbanował.

61. MIĘSNE CUKIERKI

Od bladej jak papier twarzy Patsy odcinają się jej zaczerwienione oczy. Trzymasz ją za rękę i czujesz, jak ze zgrozy zatrzymuje ci się serce.

– Nic nie wiedziałam, nic mi nie powiedział!

Nic nie mówisz, chociaż znasz odpowiedź. Agata.

– Jak to się stało? – pytasz.

– Najpierw nie było wiadomo, bo znaleźli zwłoki w wannie – odpowiada Patsy – a potem zrobili sekcję zwłok i się okazało, że miał raka trzustki. Nie wiedział o tym nawet. Niby coś tam źle się czuł, ale wiesz, jak jest z facetami, nie poszedł się zbadać, zresztą miał tyle na głowie. I po prostu wszedł do wanny i tam umarł.

Nic nie mówisz, bo co można powiedzieć. Słuchasz.

– A dwa dni później umarła matka, bo się nią nie miał kto zająć, to jakaś makabra, Wiktor mi nic nie mówił, o tym alzheimerze, a przecież, nie wiem, zajrzałabym tam do nich, ale on w ogóle nigdy nic nie mówił o rodzicach.

I nie wiesz, czy wyjawić Patsy sekrety poznane w czasie pijackich nocy z Wiktorem, że te tajemnice wzięły się z lęku, że straci kolejną dziewczynę, że pokłócił się o to z Agatą, która chciała wyjechać jak najdalej stąd, a on mówił, że nie może, że nie może tak zostawić ojca samego z chorą matką, i że mu postawiła ultimatum, i że on mówił, Agata, nie wygłupiaj się, tak nie można, i że zbudził się któregoś dnia w pustym łóżku, w tym mieszkaniu, na które wziął kredyt, tyle w końcu dobrego wyszło, że sam go wziął, bez niej, a ona stała w progu z walizką spakowaną i powiedziała tylko „no to do widzenia", ale to nie było „do widzenia", bo nie zobaczył jej już nigdy, tyle co parę urwanych rozmów przez komórkę i skajpa, i maili, na które przestała odpowiadać, wyrzuciła go w końcu ze znajomych na fejsie i opowiadała wszystkim, jaki z niego namol i że ją prześladuje, i jak odwrócili się od niego wszyscy wspólni znajomi, i w końcu został sam, i musiał budować wszystko od nowa.

Ale nie powiesz tego przecież, bo jak mówić takie rzeczy zapłakanej dziewczynie.

– Pewnie czekał na dogodną okazję – kłamiesz, bo czasem trzeba kłamać. – Wiesz, spotkanie z rodzicami to poważna sprawa.

Patsy kiwa głową, w sumie swoich też mu jeszcze nie przedstawiła, tyle że poznał Julcię (małą, kochaną Julcię).

– Wiktor dzwonił do ojca z Chin i nie mógł się dodzwonić – opowiada dalej Patsy – ale do głowy mu nie przyszło, że stało się coś takiego. No powiedz, komu by do głowy przyszło.

Kręcisz głową.

Siedzicie jeszcze chwilę w twoim mieszkaniu i wciąż nie wiesz, co powiedzieć, wcale nie znasz się na umieraniu. Patsy kończy pić herbatę, przytula się na pożegnanie, trochę dłużej niż zwykle, i wychodzi, zostawiając paczuszkę z prezentami od Wiktora, które miał rozdać na jutrzejszej odwołanej prywatce.

Odpakowujesz podarki. Czapka z cienkiego polaru w kształcie pandy, ze sterczącymi uszami i nosem z guzika, która pachnie poliestrami chińskiego bazaru. I kilka kolorowych torebek pełnych przedziwnych łakoci, cukierków ze słodkiego mięsa i kukurydzianych landrynek w kształcie kolby kukurydzy.

Są pyszne.

62. KOSZMAR

Budzik w telefonie, machinalnie naciskasz drzemkę, za dziesięć minut znów zadzwoni. Czekasz, nie śpiąc, leżysz, patrzysz w sufit i starasz się nie myśleć o niczym, kiedy powraca koszmar z dzieciństwa, wtedy wywołany gorączką, jeden z tych snów, z których nie można się obudzić przez całą noc. Abstrakcyjne uczucie potwornej grozy czającej się za wielką białą ścianą, oddech niewidzialnej maszynerii horroru. Tam nic nie ma, okłamuje cię we śnie wróżka, nie bój się. Boisz się, bo wiesz, że wróżka kłamie.

Budzik dzwoni ponownie i uwalnia cię od wspomnień.

Zbawienie w pracy, im bliżej finiszu jest projekt, tym więcej trzeba w nim rzeźbić, milestone zbliża się nieubłaganie, nie masz nawet jak wziąć pół dnia wolnego i wyskoczyć na jutrzejszy pogrzeb rodziców

Wiktora, nawet się trochę cieszysz z tej wymówki, tylu obcych ludzi naraz, zjadą się pewnie jakieś wujki i ciotki, zlezą ciekawscy sąsiedzi, Wiktor chyba sobie poradzi, ma przecież Patrycję, kalkulujesz, ale myślisz, żeby po wszystkim spotkać się z nim wieczorem, jak kiedyś, z wódką przeciwko światu.

W czasie przerwy na lunch spotykasz Chyba Marka.

– Jak ręka?

– Dzięki, spoko, będę żył – gryzie się w język. – Jakieś wieści od Wiktora?

– Tyle, że wziął parę dni wolnego – mówisz, wracając pamięcią do telefonicznej rozmowy z Wiktorem, krótkiej i bardzo trudnej. – Musi ogarnąć kilka spraw.

– No tak, no tak – Chyba Markowi udziela się tik Natki. – Będziesz na pogrzebie?

– Milestone, nie dało rady – kręcisz głową i wzdychasz.

– Rozumiem, rozumiem – mówi Chyba Marek – ja idę, jako, hm, delegacja, zrzuciliśmy się z zespołem na wieniec.

– O, wiesz, może się dorzucę?

– Jasne, jasne – zgadza się Chyba Marek – a słuchaj...

– Hm?

– Jak to się stało? Bo wiemy tylko, że zmarli oboje naraz, ale jak to możliwe? Wypadek?

– Tak, coś w tym stylu, wypadek – nie wiesz, czy możesz opowiadać takie rzeczy, więc postanawiasz zachować to dla siebie, niech Wiktor zdecyduje, chociaż masz ochotę podzielić się ciężarem makabry.

– Uhm.
– Nie znam szczegółów, przepraszam – kłamiesz.
Chyba Marek wykonuje pojednawczy gest rękoma.
– Chłopaki po prostu są ciekawi, wiesz, jacy są.
Kończysz kanapkę, wciskasz Chyba Markowi banknot i wracasz do pracy.

Wypadek, myślisz potem, wracając do domu, wychodzisz z przejścia podziemnego, ktoś zamazał hasło „Chcemy Dać Wam Papu" i napisał „BATMAN ZBAWICIEL". Przypominasz sobie o tym, co mówił Olivier, o karmicznym połączeniu. Gdyby Wiktor nie poleciał do Chin, a gdyby Chyba Marek nie złamał ręki, a gdyby nie poszli na paintball z zaprzyjaźnioną parką, gdyby Wiktor i Patsy nie byli parą, gdyby Agata, gdyby Sławomir, nie ma winnych, wszystko przewraca się jak kostki domina, słyszysz znów w głowie odgłos maszyny horroru, która najwyraźniej kręci całym światem.

Gdy wchodzisz na pierwsze piętro, dogania cię nieprzyjemna myśl, nagłe uderzenie niepokoju, podchodzisz na palcach do drzwi mieszkania dziadka i przystawiasz ucho, robiąc z dłoni trąbkę. Słyszysz, jak krząta się po mieszkaniu, i czujesz ulgę.

I przez krótką chwilę się nie boisz.

MINĘŁA 22:00.
CZY WIESZ, GDZIE
JEST TWÓJ BÓG?

63. WÓDKA I PAPIEROSY

– Nie widzę, nie słyszę nic, przestaję odczuwać nawet ból – mówi cicho Wiktor i zapala kolejnego papierosa – jakby to wszystko się nie wydarzyło, jakbym wyszedł z siebie i oglądał wszystko przez przyciemnioną szybę.

Wódka. Zapalasz kolejnego papierosa. Ty palisz? Dziś tak, dziś palisz.

– Ksiądz się najebał, aż zapomniał poświęcić krzyż – mówi Wiktor nieco głośniej – ale mu się nie dziwię, nie wiem, czy ktoś by umiał tak pierdolić na trzeźwo.

Wódka.

– I on, kurwa, jak on ładnie opowiadał, o cierpieniu, i że mama teraz wszystko widzi i na nas patrzy, wiesz, tak mówił, z chmurki, kurwa, chyba patrzy – Wiktor puszcza kółko z dymu, które leci do sufitu. – Boski plan, ja pierdolę, jakim trzeba być pojebem, żeby coś takiego zaplanować!

– Oni ich chyba uczą, co mają gadać.

– Srać – irytuje się Wiktor – jak już mi popycha taką baję, to niech się do niej przyłoży, przecież to się kupy nie trzyma, blefować trzeba umieć, kurwa.

Wódka i papierosy.

– Czemu nie powiedział, że tak, że to bez sensu? – pyta Wiktor. – Że Bóg się pomylił, wtedy by można złożyć reklamację, nie?

Nic nie mówisz, starasz się przynajmniej zrobić odpowiednią minę, pełną akceptacji i współczucia.

– Panie Jezu – Wiktor składa ręce do modlitwy – oddaj mi mamusię i tatusia. Obiecuję, że już będę grzecznym chłopcem.

I nie wiesz, czy się wygłupia, czy jest na serio.

– I co teraz? – pyta Wiktor, nie doczekawszy się odpowiedzi na modlitwę. – Wszystko mi się zawaliło.

– No nie, nie wszystko.

– Całe życie, wszystko źle, wiesz, jak było z Agatą, tak, mogłem z nią być, i wszystko przegrałem, zostałem z niczym, z niczym.

– Masz Patrycję. Masz mnie.

– Ona odejdzie, prawda? Zawsze odchodzą.

– Głupi jesteś!

I wtedy Wiktor zaczyna płakać. Półleży w swoim ulubionym fotelu i płacze. Co się robi z płaczącym dryblasem?

– Nie płacz, pij – podajesz mu kieliszek.

Przestaje płakać i pije.

– Synu, kiedy ty wreszcie dorośniesz?

– Hm?

– Tak mi powiedział, jak ostatni raz rozmawialiśmy. Do Chin lecę, mówię. Do Chin, zdziwił się tatko, no do Chin, a po co, spytał, a ja na to, głupi żart, nie, że psy jeść, i on się zaśmiał, a potem spytał, synu, kiedy ty wreszcie dorośniesz.

– I to były jego ostatnie słowa?

– Nie. Ostatnie, he he, ostatnie, co mi powiedział, ha ha, mój Boże, „przywieź mi psa na kanapki”, tak sobie zażartował, dowcipny zawsze był, ja to po nim mam, całe życie próbujesz nie być jak swoi starzy, a na koniec dnia i tak, kurwa, jesteś.

Wódka. Papieros.

– Agata była.

– Gdzie?! – pytasz. To było niespodziewane.

– Na pogrzebie.

– Skąd wiedziała?

– Z klepsydry, taki zbieg okoliczności, przyjechała akurat na parę dni do swoich rodziców i matka jej powiedziała.

– Skąd TY to wiesz?!

– Rozmawiałem z nią. Chce się spotkać.

– Aj!

– Pójdź ze mną, co? Boję się sam. A przecież Patrycji nie wezmę.

– Kiedy?

– Pojutrze.

Zgadzasz się. Nie pamiętasz jej za dobrze, widzieliście się tylko parę razy na jakichś korpoimprezach, na które przychodziła z Wiktorem, aż przestała przychodzić.

Pewnie, że pójdziesz, jeszcze zrobi coś głupiego. Mały, biedny Wiś.

64. ALLO, LOLA

Druga w nocy, zamawiasz taksówkę do domu.

Poranek na kacu jest ciężki, dwie mocne kawy na początek, może coś pomogą. Niewiele. Słońce jest bezlitosne, żaluzje nic nie dają. Przypominasz sobie poprzedni wieczór. Z tej całej wódki Wiktor się porzygał, chyba pierwszy raz w życiu, to było jak katharsis. Porzygał się, umył i zasnął.

Agata wróciła. Masz złe przeczucia, ale nie zastanawiasz się nad nimi zbyt długo, bo nagle pojawia się wyspa na horyzoncie tego oceanu rozpaczy.

Wiadomość od Zuzy, jest już w mieście, chce się spotkać, dziś, wieczorem, koniecznie! W tym klubie z imprezami dla furrysów, to dobry pomysł, tam wszystko się zaczęło, tyle miłych wspomnień. Nie dotarły do niej jeszcze wieści o Wiktorze, nie wiesz, czy pisać jej o tym, czy poczekać i opowiedzieć wieczorem? Zresztą – to nieważne, wróciła, nareszcie.

Dostajesz endorfinowego kopa. Kac? Jaki kac? Radość, radość, nie będzie więcej łez, tylko miłość, miłość, pamiętasz miłość. Ile roboty dziś, w robocie, ale kogo to obchodzi, skoro Zuza, więc robisz, co masz do zrobienia, i nawet nie czujesz, kiedy mija osiem godzin.

Postanawiasz ładnie się ubrać na wieczór. Stoisz przed lustrem, podziwiasz efekt i myślisz o Zuzie, Zuzie, i myślisz o niej, czekając w pustym klubie, za wcześnie, jeszcze nikogo nie ma, jest tylko ten barman, który wam sprzedał furrysów, uśmiechasz się do niego, robi dziwną minę, może cię nie poznaje, tyle twarzy widuje codziennie.

Pijesz piwo i bawisz się komórką, planujesz scenariusze, czy najpierw pozwolić Zuzie opowiedzieć o furrystycznych przygodach? Czy zrzucić bombę makabry? Może wcale dziś nic nie mówić?

Piwo się skończyło, zero trzy, może dlatego, podchodzisz do baru i zamawiasz jeszcze jedno, duże. Barman nalewa, unikając kontaktu wzrokowego.

– Proszę. Osiem złotych.

Podajesz dychę. Bierze ją, niechcący dotykając twojej dłoni.

– Dzięki, reszty nie trzeba – mówisz i pytasz – czy my się nie znamy?

– Nie-e, raczej nie – odpowiada, jakby się czegoś bał.

– Przepraszam, coś mi się musiało pomylić.

Zdziwniej i zdziwniej, myślisz, może to dobra zagadka dla waszej bandy detektywów, chociaż Wiktor pewnie nie będzie chciał się bawić. A może wręcz przeciwnie, może tego właśnie mu teraz trzeba?

Klub powoli się zapełnia, ale przy twoim stoliku wciąż jest pusto. Odczuwasz lekki niepokój, Zuza miała być pół godziny temu. Wysyłasz jej esemesa „allo lola gdzie jestes?".

I czekasz, aż kończy się duże piwo. Co teraz, dzwonić? Zuza, co się dzieje?

Przy sąsiednim stoliku dostrzegasz dwie pary, mieszane, chłopcy i dziewczyny. Młodzi, może studenci jeszcze, trochę biedahipsterka, na ile umiesz ocenić. Dziewczyny mają mocny makijaż, oczy obrysowane czarnym flamastrem i coś dziwnego, zaczernione spody nosów, i nagle orientujesz się, że to, co mają we włosach, to nie są kokardy, tylko kocie uszy. Mem już chwycił czy tylko Olivier z Cecylią sieją ziarno? Nie pytasz, oficjalnie nic nie wiesz o całej akcji, papiery podpisane, przelew poszedł.

Kociczki na chwilę odwracają twoją uwagę, ale już jesteś z powrotem, a Zuzy wciąż nie ma.

Postawiasz zadzwonić, i kiedy wyszukujesz numer Zuzy w książce, bip bip, przychodzi esemes.

65. MĘSKI I OPIEKUŃCZY

PATRYCJA płaci za farbę do włosów i odchodzi od kasy, obraca się, chowając pudełko do torebki, i widzi, jak dwie cwane gapy, myślałby kto, sierotki zagubione, robią właśnie numer życia, się znaleźli podstarzali Bonnie & Clyde, wbijając się z wózkiem pełnym po brzegi do kasy „do dziesięciu artykułów". Przy wszystkich stanowiskach dziś takie ogonki, bo to środek soboty, ludzie wylegli z domów, wsiedli w samochody i wyruszyli w półtorakilometrowe wyprawy.

Patsy patrzy na to z niedowierzaniem, ale wzrusza ramionami i idzie swoją drogą, aż po kilkunastu krokach doganiają ją myśli o rodzicach Wiktora, których nigdy nie pozna, i o własnej starości, i starości Wiktora – i czuje się z tym przedziwnie.

Tymczasem kasjerka wynajęta z agencji pracy tymczasowej nie zna zasad, nie ogarnia mechanizmów i daje się zrobić; pan cwany gładzi siwe wąsy i wyładowuje kolejne zakupy na taśmę, pani cwana przelicza banknoty w portfelu, potem nadzoruje kasjerkę, czy wszystko nabija jak należy, pan cwany w tym czasie pakuje sprawunki z powrotem do wózka, unikając spojrzeń innych klientów.

Którzy może coś by nawet powiedzieli, ale wolą robić grymasy i ciche dąse, dziewczyna o długich kasztanowych włosach szturcha chłopaka i wali mu focha po powrocie do domu, że a dlaczego nic nie zrobiłeś, nie powiedziałeś, tyle musieliśmy czekać, za rok już nie będą ze sobą, z zupełnie innych przyczyn, ale ziarno zostało zasiane dziś, w tej kolejce.

Pan cwany nie jest świadomy wyrządzonych krzywd, nie, on jest z siebie dumny, bo pokonał system, poczuł moc, jakiej nie czuł od czasów, gdy robił sobie zdjęcie z Wałęsą; przez chwilę zaimponował żonie.

I może ona dziś nie spędzi wieczoru, wzdychając, nieobecna, myśląca o tych wszystkich złych decyzjach, i gdy odbierze wieczorem skajpa od córki, która znów nie da rady przyjechać na kolejny urlop z UK – który to już? – zamiast przygryzać wargi wpatrując się w program na TVN, wybuchnie płaczem, tuląc się do piersi męża, mocząc łzami jego przyciasną koszulę w kratę, a on ją przytuli, gładząc jej farbowane włosy, jasnowaniliowe jak u Eminema, czując się taki męski i opiekuńczy jak wtedy, gdy spotykali się po szkole w małym miasteczku, oddalonym o dwadzieścia minut pociągiem od stolicy województwa, a on grał jej na gitarze i pili wino w krzakach, i napisał dla niej kilka wierszy, które leżą wklejone w wyblakłe zeszyty gdzieś na zapomnianym pawlaczu albo dawno zostały zmielone na papier toaletowy.

I ona jeszcze nie wie, że to ostatni raz, kiedy są tak blisko, że zaraz znów oddalą się od siebie, w jednym domu, ale w różnych galaktykach, ale ona nigdy nie odejdzie, i kiedy za piętnaście lat on przestanie rozpoznawać jej twarz i zapomni, jak się nazywa, będzie zmieniać mu pieluchy, pokazując stare albumy, z nadzieją, że gdzieś tam w środku jest człowiek, którego pokochała, kiedy jeszcze pamiętała miłość, przez tę sekundę wcale nie żałując, że nie posłuchała matki.

66. ZERO HISTORII

Wiktorowi pocą się dłonie.

– Co my tu robimy właściwie? – pyta.

– No właśnie, ty mi powiedz – kręcisz głową, gmerając w bitej śmietanie długą plastikową łyżeczką. – Dlaczego zgodziłeś się na to spotkanie?

Starbucks, neutralny grunt, na tyle światowy, żeby nie odstraszyć warszawki, na tyle sieciowy, żeby nie wyglądało to na randkę, jest prawie pusty. Agata się spóźnia.

– Nie wiem – wzrusza ramionami Wiktor, który dziwnie zmalał przez ostatnie dni, jakby zapadł się w sobie, spłynęła z niego cała dziarskość i duma. – Chyba potrzebuję, nie wiem, jak to się nazywa, takiego domknięcia? Że wszystko się wyjaśnia i przeprasza, i zostaje przyjaciółmi?

– Tak to każdy by chciał – nie mówisz tego na głos.

Niezręczny kwadrans później przychodzi Agata. Inna niż w twoich mglistych wspomnieniach, wyjazd ją odmienił, nawet porusza się inaczej. Seapunkowa, lazurowa fryzura, czarna, prosta sukienka, która po bliższym przyjrzeniu, o ile wiesz, na co patrzeć, wcale nie jest taka prosta, pod odpowiednim kątem widać detale inspirowane fraktalami muszli, to designerski ciuch, jakiego nie spotkasz na tutejszych ulicach. Pachnie morzem. Warszawska syrenka, która pachnie morzem, to dziwne. Ten zapach sprawia, że wracasz w myślach do esemesa od Zuzy i trochę wyprowadza cię to z równowagi.

Agata całuje Wiktora na powitanie, w policzek. Na twój widok wydaje się zmieszana, ale szybko odzyskuje rezon.

– Cześć! Kupa czasu!

– Hej, świetnie wyglądasz.

– Dzięki, ty też dobrze się trzymasz.

Wiktor jeszcze nic nie powiedział, mruknął tylko na powitanie. Kiedy Agata zamawia frappuccino, kopiesz go delikatnie pod stołem.

– No co – wypada z odrętwienia.

– W porządku? – pytasz.

– Nie, nic nie jest w porządku, ale co poradzić.

– Ech, Wiktor, Wiktor – wzdychasz.

Nie ma kolejki, więc barista przygotowuje napój od ręki. Agata stoi przy ladzie, odwraca się do was i uśmiecha, ale mało w tym uśmiechu radości. Jej oczy wydają się puste.

Po chwili wraca do stolika z kubkiem.

– I co tam słychać? – pyta, zerkając na ciebie, odczuwasz lekką nerwowość w jej głosie.

– Praca, praca, praca i zawody miłosne – próbujesz zabrzmieć ironicznie, ale ci nie wychodzi.

– Och, to zupełnie jak u mnie – Agata składa ręce. – Rzuciłam się w wir kariery i tyle mam, o. Tam wszystko tak pędzi, jeju, już zapomniałam, że tu inaczej płynie czas, nawet w tym Starbucksie, można sobie tak siedzieć spokojnie i nikt nikogo nie pogania...

Agata patrzy na Wiktora, który zwykle zdążyłby przerwać jej dowcipem albo anegdotą, ale dziś jest cieniem tego chłopaka, którego znała i kochała.

– Wiktor...

– Tak, jestem, jestem, nie zasnąłem, tylko tak wyglądam.

– Przepraszam was bardzo, ale czy moglibyśmy porozmawiać w cztery oczy z Wiktorem? – mówi cicho Agata.

Patrzysz pytająco na Wiktora. Kiwa głową.

– Nie ma problemu, dokończę kawę i się zmywam – obiecujesz. Dasz sobie radę? pytasz telepatycznie Wiktora.

Tak, odpowiada. Spoko.

Dopijasz kawę, a Agata, żeby zabić ciszę, opowiada o całorocznych obchodach Powstania Warszawskiego i że to było bardzo odświeżające, że Warszawa tak pamięta, tu w ogóle nie ma historii. Zero historii, mówi, to takie dziwne.

67. DZIEWCZYNA O KRUCZOCZARNYCH WŁOSACH

Dzwonek do drzwi.

Otwierasz i widzisz dziewczynę o kruczoczarnych włosach, jak u królewny Śnieżki, z krwistoczerwonym pasemkiem. W białej, letniej sukience. Patrycja.

– Nadal za niego ręczysz? – pyta od progu. – To dobry chłopak?

Nic nie odpowiadasz, wycofujesz się do środka, robiąc miejsce, żeby mogła wejść.

– Co się stało? – pytasz. – Chcesz coś do picia?

– Dziękuję, mam – i wyciąga z chlebaka napoczętą butelkę niedrogiej whisky.

Podajesz jej szklankę.

– Nie mam lodu.

– Nie szkodzi. Chcesz trochę?

– Chyba tak.

Wyciągasz drugą szklankę, Patsy nalewa, aż mówisz „stop".

– No dobra, co się stało?

– Wiktor postanowił zrobić sobie przerwę.

– Przerwę?

– Przerwę. Przerwę od nas. Ode mnie. Rozumiesz. Żeby uporządkować sprawy, powiedział – denerwuje się Patsy i upija łyka – i dojść ze sobą do porozumienia.

– Och, no – mówisz – wiesz, że przechodzi trudny okres.

– No kurwa – zżyma się Patsy – więc widzisz, najpierw tak pomyślałam, a potem, hej, ale o co właściwie chodzi, kochanie, może mogę ci jakoś pomóc, nie?

– No?

– I się przyznał – głos Patsy się uspokaja, ale widać, że ona wcale się nie uspokoiła. – Zaczął opowiadać. O Agacie.

– O... o Agacie...

– Tak właśnie, znasz ją przecież, tak? – Patsy nie czeka, aż kiwniesz głową. – Więc wszystko mi powiedział. O tym, jak go zostawiła, tak, to było brutalne. I o tym, jak wróciła.

Czujesz, jak krew napływa ci do uszu.

– Wróciła? W sensie, do miasta?

– Nie, w sensie, do Wiktora – to nie spokój, to zrezygnowanie. – W sensie, że zaczęła się tłumaczyć, opowiedział mi wszystko, wiesz, jaką historię mu sprzedała? Że go bardzo kochała, wtedy i na zawsze, ale jego tatko, wieczny odpoczynek racz mu dać Panie, jej nienawidził i jej to powiedział kiedyś prosto w twarz, rozumiesz, że Wiktor o tym nic nie wiedział, bo mu nie mówiła wcześniej, bo uznała, że i tak jej nie uwierzy, i że ona sobie w tej sytuacji nie wyobrażała takiego życia, z nim i jego ojcem. A teraz wszystko się zmieniło, prawda.

– No i on to tak łyknął?

– Nie wiem! Na tyle, że poprosił o przerwę. Że się musi zastanowić, rozumiesz? Bo ma wątpliwości, co dalej. Wątpliwości, kurwa, ma – Patsy dolewa sobie whisky.

– Może to taka faza, od żałoby.

– Może, może, zresztą, wtedy poczułam, że też nie jestem taka pewna, jak już poruszył temat, więc mówię, proszę, masz wolną rękę, co tylko potrzebujesz, taka wspaniałomyślna jestem.

Nic nie mówisz, sączysz ciepłą whisky.

– No i co teraz? – pyta Patsy. – Koniec świata, prawda? Same pogrzeby i żadnych wesel. Tak jak przewidziałam. Te wszystkie znaki, te wszystkie znaki, od początku, to umiera miłość, zobaczysz, to były znaki, matki rzucają dziećmi o podłogę, śmierć Whitney Houston, a kto tak śpiewał o miłości jak ona?

Podchodzi do wściekłego ptaka i wpina złącze jack do swojej komórki, klika parę razy i pokój wypełnia cyfrowy cud – zmarła śpiewa.

– And I---- will always--- love--- you--- – wtóruje Patrycja i kiwa się na boki jak w czasie wolnego tańca na szkolnej dyskotece.

A potem piosenka się kończy i nikt nie ma już nic do powiedzenia.

FUCK THE JAZZ AGE WE'RE THE LOST GENERATION

68. BURNOUT

Uciekasz więc w rutynę, praca pozwala zapomnieć o ludziach. O Zuzie, która chodzi teraz jak zegarek, nakręcana przez męża, i to się nie zmieni, dopóki ten pieprzony Popeye znów nie wypłynie, kiedy, za pół roku, o, jaką niespodziankę wszystkim zrobił, że wrócił tydzień wcześniej! O Wiktorze, który szuka siebie w, zapewne, ramionach Agaty. O Patsy, która nie może tego wszystkiego znieść i nawet na ciebie nie chce patrzeć, bo to wszystko zbyt bolesne i zbyt wkurwiające, „żałuję, że wtedy wpadliśmy na siebie w klubie", tak powiedziała na pożegnanie, była pijana nieco, wprawdzie, ale przecież ludzie wtedy nie kłamią.

Ale nie myślisz o tym, dobijasz do brzegu z projektem, bierzesz nadgodziny nawet, żeby nie wracać za wcześnie do pustego mieszkania. Nie możesz patrzeć na Bombermana, odpalasz sobie Burnouta, grę o wyścigach, ale nawet się nie ścigasz, tylko godzinami jeździsz bez celu po wirtualnym mieście, w którym nie ma ludzi, same samochody, i to bez kierowców, puste w środku, po to, żeby uniknąć zbędnej makabry podczas nieuniknionych wypadków. W efekcie gra i tak jest niepokojąca, uświadamiasz sobie, te auta bez kierowców, jakby zniknęli po jakiejś apokalipsie. Czy tak będzie wyglądał koniec świata? Ludzie wyparują bez śladu, a ich miejsce zajmą inteligentne samochody, które przejmą miasta, warsztaty i stacje benzynowe. Jak w tym głupim filmie Pixara o gadających resorakach.

Z głośników leci remiks *Route 66* Depeche Mode. Wciskasz iks na padzie, czarny sportowy samochód, nielicencjonowana podróba KITT-a z *Knight Ridera*, dostaje zastrzyk nitro i przyśpiesza błyskawicznie, świecąc błękitnym neonem. Za zakrętem czeka ciężarówka, wbijasz się w nią z pełnym impetem, mikrosilnik pada drży ci w dłoniach pod akompaniament hałasu giętej blachy i tłuczonego szkła, ale dziwnym trafem maszyna wciąż nadaje się do prowadzenia, chociaż odpadły z niej drzwi i szyby, a lakier jest cały podrapany. Pogięty wrak, toczący się wbrew przeciwnościom, aż do najbliższej stacji naprawczej, gdzie w ułamku sekundy odzyska dawny wygląd.

Samochodowe radio gra *Epic* Faith No More.

69. ZIEMIA POD JEJ STOPAMI

W końcu nudzisz się grą.

Całą niedzielę siedzisz na kanapie i oglądasz serial, kablówkowy kanał z komediami zdecydował za ciebie i puszcza dziś maraton, cały sezon sitcomu o przedtrzydziestolatkach z Nowego Jorku z lat dziewięćdziesiątych.

Zebrana w studiu publiczność, uwięziona na wieki na taśmie, śmieje się z każdego dowcipu, nawet tego położonego przez polskiego tłumacza i lektora.

Śmiejesz się z nimi, dobrze jest mieć z kim się śmiać.

O, ale to naprawdę śmieszne, bohaterowie oglądają taśmę ze studniówki, z lat osiemdziesiątych, i jedna z dziewczyn jest na niej strasznie gruba, aktorka musiała pewnie założyć specjalny kostium, jak Al Yankovic w teledysku, w którym udawał grubego Michaela Jacksona.

To jeden z tych wzruszających odcinków, w którym przeznaczona sobie para pokonuje wreszcie piętrzące się przez kilka sezonów trudności i dzięki wielkoduszności scenarzystów i producentów zgromadzona w studiu publiczność może wreszcie wydobyć z siebie przeciągłe „aaaaach" na widok dawno oczekiwanego pocałunku.

Nie przyłączasz się, robisz głośne „bleee" i zmieniasz kanał na stację z kulturą, myśląc o tym, jak telewizja kłamie. Miłość i przyjaźń, myślałby kto, bajki dla naiwnych nastolatków, siedzimy sobie razem w kawiarni i pijemy kawusie, dorosłość jest taka straszna, ale trzymamy się razem i wszystko się uda! „Aaaaach", woła zachwycona publiczność przed telewizorami, „tak właśnie, tak właśnie!".

Kłamstwa, same kłamstwa.

Na kanale z kulturą Phil Collins opowiada o swojej pierwszej solowej płycie. Że najpierw był smutny, bo się rozwiódł, ale pod koniec znów był wesoły, bo znalazł sobie nową dziewczynę, i to wszystko słychać w piosenkach. Na początku albumu posępna automatyczna perkusja, a potem radosna rythm'n'bluesowa sekcja dęta, żaden inny białas nie wpadł wtedy na taki pomysł.

Tej nocy śni ci się kawiarnia w Nowym Jorku, ale wcale nie wygląda na Nowy Jork, tylko jak ta na rogu, obok przejścia podziemnego. Siedzisz przy stoliku z laptopem, a publiczność w studiu bije brawo i się śmieje, kiedy oblewasz się kawą.

Wiktor/Niewiktor mówi coś śmiesznego, po przebudzeniu nie pamiętasz szczegółów, wzbudzając salwy szczerego śmiechu. Patrycja/Niepatrycja jest komicznie gruba, wygląda jak Panna Piggy, opycha się pączkami z kawiarni ku uciesze widowni. Całują się z Wiktorem/Niewiktorem, „aaaaach" wyje publiczność. Budzisz się na moment, tkwisz chwilę w zawieszeniu między snem i jawą.

Potem zasypiasz.

Śni ci się dziewczyna. Zuza/Niezuza. Widzisz ją przez chwilę, w oddali, niewyraźnie, a potem powoli wszystko znika. Znika ziemia pod jej stopami. Gaśnie ogień w jej oczach. Uspokaja się wiatr, który szarpał plisy jej spódniczki. Wreszcie zostaje tylko odbicie w lustrzanej tafli jeziora, ale i ono znika, gdy budzisz się z dziwnym bólem w sercu.

70. ENJOY THE SILENCE

NATKA bije brawo z uciechy, kiedy wesoły grubasek kończy śpiewać piosenkę o pszczółce Mai, która sobie lata, ooo-ooo-ooo!, wtóruje cała sala.

Natka nie jest trzeźwa, ale i z góry zapowiedziała, że owszem, może pójść, ale nie ręczy za siebie. Idea karaoke budzi w niej lęk, który może utopić jedynie w alkoholu. Jest już po dwóch piwach i jednym wściekłym psie.

Ale Chyba Marek tak ją namawiał, bo wiesz, trzeba utrzymywać więzi jakieś, społeczne, a teraz Co Ten Wiktor I Co Ta Patrycja, więc przydałoby się mieć jakiś plan awaryjny i A Może Byśmy poszli z Mateuszem i Moniką na karaoke, a kto to jest Mateusz i Monika, spytała zrezygnowana Natka, kolega z pracy i jego narzeczona, od wielu lat, więc to Pewna Sprawa, Zaufaj Mi.

Zaufała i nie narzeka, pies i piwa dodały jej animuszu, no może nie na tyle, żeby od razu łapała się za mikrofon, jak jej nowi uroczy znajomi. Ochrzciła ich sobie Emememsy i jest dwa piwa od użycia tego pseudonimu w konwersacji.

Emememsy zbudowały swój związek, jak sądzi Natka, na miłości do polskiej muzyki rockowej z lat dziewięćdziesiątych, którą jak przez mgłę pamięta z dzieciństwa, te wszystkie Heje i Various Manxy, które trochę zlewają jej się w jedno, ale rozpoznaje poszczególne piosenki. Polska młodzież śpiewa polską muzykę. Nadchodzi właśnie kolej Mateusza i Moniki, śpiewają w duecie, to znaczy Monika ciągnie piosenkę głosem wytrenowanym w kościelnym zespole na mszach dla licealistów i studentów, a Mateusz, wyszczerzony, wspomaga ją w czasie refrenów. Cała sala bije brawo, gdy kończą.

Kolejne piwo Natka wciąga pod *Orła cień*, dwie pyzate dziewczyny, jedna ukrywa sklonowany podbródek pod apaszką, druga grubą warstwą podkładu przykrywa pryszcze, wyskakujące mimo nadciągającej trzydziestki, ale tu wszystko skrywa półmrok lokalu, cotygodniowy karnawał zapomnienia, Natka odpływa myślami do podstawówki, do lekcji muzyki, gdy stała skamieniała przy pianinie i mimo ponagleń nauczycielki nie potrafiła wydobyć z siebie dźwięku. Ale tu jest inaczej, zupełnie inaczej, i gdzieś z tyłu Natkowej głowy powoli rodzi się pijana myśl, żeby może kiedyś, kiedyś, też spróbować.

Tymczasem pyzate kończą i zaczyna się kolejny numer, Natka czuje, że coś się zmieniło, wraz z pierwszymi nutami sala przestaje reagować i pogrąża się w pogwarkach, Mateusz pyta o coś jej chłopaka, Monika przysłuchuje się z zaciekawieniem. O co chodzi, myśli Natka, aż poznaje piosenkę, jeden z tych smętnych hitów Depeche Mode, zupełnie niepasujący do tej imprezy i tego lokalu, kto to śpiewa, zerka, to chyba nie są stali bywalcy, widziała ich wcześniej, czwórka jakichś hipsterów, dwoje z nich właśnie śpiewa, wysoki grubas, mógłby się ogolić, i znacznie młodsza dziewczyna o długich nogach modelki, Natka patrzy z zazdrością, myśląc o swoich zgrabnych, ale krótkich nóżkach. Nawet ładnie im idzie, ale po co komu takie smęty, i jeszcze po angielsku, popisują się czy co.

Na szczęście kończą, żegnani pojedynczymi oklaskami, a za mikrofon łapie Monika i jedna z pyzatych dziewczyn, wykonują razem pięknie hit z musicalu *Metro,* numer popisowy, przeciągły refren śpiewają wszyscy razem, poza czwórką hipsterów, którzy się zmyli.

Natka patrzy na Monikę przeżywającą sceniczny orgazm i zastanawia się, czy kiedyś razem będą w ciąży.

71. HOBBICKA DOROSŁOŚĆ

Trzydzieści trzy lata, tak twierdzi fejsbuk któregoś dnia. Hobbicka dorosłość. Życzenia zaczynają spływać już po północy. Nie są nic warte, komputer kazał, to wysłali. Kolejna nic nieznacząca data. Może to dobry moment, żeby skasować konto na fejsie?

Podobno los każdego, mówił kiedyś przy kawie Wiktor, został zapisany w pasku komiksu o kocie Garfieldzie. Sprawdzasz w internecie, co takiego zostało zapisane w gwiazdach trzydzieści trzy lata temu. Wystarczy wpisać datę i słowo „Garfield" do googla.

Pasek niedzielny, osiem kadrów. Na pierwszym obrazku zgarbiony rudy otyły kot siedzi na płocie, prawą łapę wyciąga w geście żebraczym, dymek dialogowy zawiera słowa „Ahem ... me, me, meee". Drugi kadr – kot ma rozłożone łapy, zadartą głowę i otwarty pyszczek, ziejący wielką czarną dziurą, dobiegający z niej dymek mieści „MEYOWRRR" w otoczeniu nutek. Obrazek trzeci – kot spada do góry nogami z płotu, trafiony doniczką, zdarzeniu towarzyszy onomatopeja „BONK". Kadr numer cztery, zmarnowany kot wdrapuje się na płot, myśląc w dymku „I wonder if this how Enrico Caruso got his start". Nie masz pojęcia, kim jest Enrico Caruso, ale z kontekstu domyślasz się, że śpiewakiem. Obrazek piąty jest powtórzeniem drugiego, ale tym razem kot przyjmuje bardziej dramatyczną pozę. Kadr szósty – kot znowu spada z płotu, tym razem trafiony butem, przy dźwięku „CLOBBER!!", zauważasz podwójny wykrzyknik, jak w gadu-gadu. Kadr siódmy – zza płotu dobiegają dźwięki „clink clink clank". Ostatni obrazek – na płocie siedzi kot ubrany w rycerską zbroję, z otwartej przyłbicy wychodzi dymek dialogowy „MEYOWRRR", znów z nutkami, od zbroi odbija się, z odgłosem „BINK", rzucony zza kadru budzik. Uśmiechasz się, bardziej z tego, jakim sucharem jest dowcip, niż z samego dowcipu.

Sprawdzasz w wikipedii, kim był Enrico Caruso. Włoski król tenorów, urodzony w 1873, zmarły w 1921. Można kliknąć i posłuchać jego nagrań z 1914. *Otello* Verdiego. Głosy sprzed niemal stu lat, nie od razu dociera do ciebie niecodzienność tej sytuacji. Zapominasz o Garfieldzie i zbierasz się do pracy.

W tramwaju nie potrafisz dopasować sobie żadnej muzyki, wszystko brzmi niewłaściwie w porównaniu z tym przedziwnym głosem z przeszłości.

W pracy święto. Koniec projektu. Poszło, klient zadowolony, menedżerowie zadowoleni, wszyscy zadowoleni. Brawa i szampan bezalkoholowy w meeting roomie. Wreszcie można odetchnąć. Dostajesz maila od szefa zespołu, prywatne spotkanie. O co chodzi?

Pukasz teatralnie i wchodzisz.

– Cześć, co się stało?

Kornel, przezywany Kernelem, siedzi przy biurku, gestem wskazuje na krzesło, siadasz i zamieniasz się w słuch.

– Jak leci? – pyta dla zagajenia, jakby wcześniej przygotował sobie takie otwarcie i nie potrafił już zrestartować programu.

– Spoko, radzę sobie, projekt zamknięty, nie – mówisz, choć Kernel dobrze o tym wie. – Klient zadowolony, a jak zadowolony klient...

– ...to wszyscy są zadowoleni, tak, tak – kiwa głową Kernel, uśmiechając się, ponieważ wie, że to moment, w którym należy się uśmiechnąć.

– To świetnie się składa – kontynuuje – dostałem właśnie maila w twojej sprawie z haerów, zrobił się mały problem, ale taki problem to w sumie nie problem.

– Och – wzdychasz – o co chodzi?

O urlop, tłumaczy Kernel, nazbierało się niewykorzystanych dni, które trzeba zużyć, zanim przyczepi się inspekcja pracy. Więc może teraz, proponuje, jak akurat skończył się projekt, będzie trochę luzu. Sio, sio.

Nie wiesz jeszcze, co zrobić z tym całym wolnym czasem, nazbierało się trzy tygodnie, nie wiesz nawet, co zrobić z urodzinowym wieczorem.

72. ORZESZKI W CZEKOLADZIE

– No i gdzie ona jest? – pyta dziewczyna.

Stoi przed tobą w kolejce, odwraca się i rzuca, ni to w przestrzeń, ni to do ciebie. Korpoklon, gasnąca uroda ukryta pod piątkowym makijażem, uniform z sieciówki, oczy wskazujące na wyczerpanie baterii, zbliża się koniec daty przydatności do spożycia.

Spotyka twój wzrok i uśmiecha się, jakby przypomniała sobie pasek z Garfieldem z porannej gazety, ale przecież nikt już nie drukuje Garfielda.

Trwa to ułamek sekundy, uciekasz wzrokiem i ucieka ona, chowa się w torebce, z której z trudem wygrzebuje komórkę, i zerkając na teletekst nad wejściem zapowiadający jakiś nocny maraton, dzwoni.

– No gdzie się podziewasz, ja już prawie przy kasie – podsłuchujesz chcąc nie chcąc.

– No juuuż – słyszysz pisk kobiecego głosu zniekształcony kompresją sieci GSM.

Po chwili faktycznie wpada zziajana koleżanka albo przyjaciółka, klon z tej samej fabryki klonów, całują się w powietrze obok policzków i zaczynają poszeptywać, aż przyjdzie ich kolej, będą tak rozmawiać coraz głośniej, w trakcie reklam, i zatracą się w tej rozmowie, gdy zacznie się film, jakiś zniecierpliwiony kinoman obrzuci je za karę popcornem, żałuj, że tego nie zobaczysz.

Zbliżając się do kasy, musisz podjąć decyzję. Do wyboru komedia romantyczna *Przyjaciel do końca świata* i nowy *Spider-Man*. Nadchodzi koniec świata i nie masz przyjaciół, więc idziesz na Człowieka-pająka.

Dwadzieścia minut reklam, zagryzasz je małym kubełkiem popcornu w zestawie z colą, może trzeba było wziąć orzeszki w czekoladzie, to w końcu urodziny, na ekranie pojawia się zapowiedź nowej wersji tego filmu sf z trójpiersiastą prostytutką. Na ekranie Colin Farrell zostaje podpięty do dziwnej maszyny, blond Azjata mówi „powiedz, o czym marzysz, a damy ci wspomnienia", a potem wpadają policyjne cyborgi i Colin załatwia je wszystkie z pistoletu. Pewnie całe życie o tym marzył.

„Co jest prawdziwe?" – pyta wielki napis na ekranie.

Myślisz o tym, kiedy ekran okupuje reklama mrożonej herbaty, próbujesz przywołać jakieś marzenie warte wszczepienia, ale potem zaczyna się film i już nie myślisz o niczym, tylko dajesz się porwać magii trójwymiarowego kina, oto nastolatek buja się na linach z pajęczyny po Nowym Jorku i to z pewnością nie jest prawdziwe, ale kiedy tak siedzisz po ciemku w sali pełnej obcych ludzi, nic a nic cię to nie obchodzi.

REWOLUCJA BĘDZIE GRUPĄ NA FACEBOOKU

73. OVER THERE

Wracasz z wieczornego seansu, popcornowy bar był jeszcze otwarty, masz więc ze sobą urodzinowy kubełek z orzeszkami w czekoladzie, budzisz komputer, gryząc orzeszki, wita cię wciąż otwarta strona z hasłem o Enrico Caruso.

Klik, na chybił-trafił. Caruso śpiewa „La donna è mobile" z *Rigoletto,* nagranie ma sto cztery lata. Wesoła melodia, kołyszesz się, uśmiechając, w małym okienku wikipedystycznego odtwarzacza wyświetlają się słowa piosenki, jak na karaoke. Poruszasz ustami, próbując cicho śpiewać, niemal bezgłośnie, żeby nie zbudzić przypadkiem dziadka z dołu.

Ctrl+T, otwierasz nową kartę, żeby poczytać ciekawostki o filmie, wikipedia, IMDB, no tak, teraz już wiesz, dlaczego aktor grający Spider-Mana wydawał się znajomy. Andrew Garfield, co za śmieszne nazwisko, jak kot, grał wcześniej w takim filmie o Facebooku, tego wydymanego wspólnika. Odbierasz to jako znak. Postanawiasz faktycznie usunąć konto. Czy to w ogóle jest możliwe? „Możesz się wylogować, kiedy chcesz, ale nigdy nie możesz wyjść", przypominasz sobie stare hakerskie przysłowie.

Na youtube leży filmik instruktażowy, więc niby się da. Są dwie opcje nawet, ukrycie profilu i zupełne skasowanie. To pierwsze dla tych, którzy planują się rozmyślić, to drugie niby też daje dwa tygodnie na zmianę decyzji. Decydujesz się na rozwiązanie ostateczne. Żeby wejść na stronę pozwalającą się skasować, trzeba się nieco naklikać. Nie ma łatwo. Przez chwilę się wahasz, czy zajrzeć jeszcze na profile znajomych i rzucić ostatni raz okiem na pubowe fotki Wiktora i życie rodzinne Zuzy, ale stwierdzasz, że już do niczego nie jest ci to potrzebne.

Podaj hasło, mówi fejsbuk. Podajesz. Na pewno? Na pewno. Klik. Przeglądarka przenosi cię na ekran logowania fejsbuka. Zamykasz kartę.

Widzisz wciąż otwartą stronę Enrico Caruso. Klik.

– Johnnie, get your gun, get your gun, get your gun – śpiewa Caruso po angielsku z silnym akcentem, zupełnie inny repertuar, „najbardziej znana amerykańska piosenka z I wojny światowej". Jest rok 1918, na zawsze, dzięki startej płycie zatopionej w bursztynie mp3.

– And we won't come back till it's over, over there – kończy piosenkę cyfrowy duch Caruso. Pora spać.

Tej nocy nic ci się nie śni.

74. SOWA W ŚWIATŁACH DNIA

Kiedy otwierasz oczy, wszystko wydaje się takie jak zawsze.

Jesteś u siebie, dwadzieścia metrów kwadratowych opłacanych co miesiąc, a wraz z nimi biurko (trzy szuflady, z czego jedna rozklejona), stolik ze szklanym blatem (utłuczony na rogu), dwa krzesła na metalowych nogach, fotel (dokupiony, twój, nie liczy się), szafka na bieliznę i skarpety, podstawka pod telewizor, odkurzacz wyglądający jak transporter z Aliensów i wielka szafa typu komandor z, jak zostało zapisane w umowie najmu, powierzchnią lustrzaną. Szafa wszystkich szaf ciągnie się przez cały pokój, od drzwi wejściowych aż do okna, lustro umieszczone na centralnym skrzydle czyni iluzję drugiego pomieszczenia, odbitego wonderlandu.

Wstajesz z łóżka i patrzysz w tę lustrzaną krainę, którą zamieszkuje jakaś obca forma życia. To chyba istota ludzka, ma ręce, nogi i twarz, której w ogóle nie pamiętasz, musiała się tam wprowadzić w nocy.

Promienie słońca wpadają przez okno, odruchowo podnosisz rękę, żeby zasłonić oczy, to dziwne, nie poznajesz tej dłoni, widzisz ją pierwszy raz w życiu. Dotykasz twarzy, postać w lustrze robi to samo, czoło, łuki brwiowe, nos, usta, niepokojące, nieznane kształty, które nie pasują do żadnych wzorców zapisanych w twojej pamięci. Czujesz oszołomienie, jak sowa w światłach dnia.

– Zdejmij ten głupi ludzki strój i zobacz, co się stanie – mówi lustrzana istota.

Robisz to, co mówi. Ściągasz z siebie warstwę wierzchnią, czujesz, jak znika, stoisz nago przed lustrem i widzisz postać na kształt manekina, którego używa się do szkiców, drewniane, grubo ciosane kształty, bez płci, bez twarzy, bez niczego. Nie wiesz, kim jesteś, jak się właściwie nazywasz. Jesteś mężczyzną czy kobietą? Kochasz się w Zuzie? Ale to przecież o niczym nie świadczy, każdy przynajmniej raz w życiu kochał się w chłopcu i każdy przynajmniej raz w życiu kochał się w dziewczynie.

Szukasz dokumentów, w portfelu znajdujesz złożoną na czworo ulotkę z Naughty Dragon's Dungeon, o jest, dowód osobisty, na zdjęciu rozmazana plama, niczego nie możesz odczytać, imię i nazwisko jest zapisane elfickim albo klingońskim.

75. KAROLA NIE MA W DOMU TALERZY

WITEK opiera się łokciami o biurko. Podwinął rękawy błękitnej koszuli z Zary i rozpiął dwa ostatnie guziki.

Czeka na telefon.

Witek czeka na telefon tak długo, że właściwie już zwątpił. Trudno.

Witek ma dziś dyżur, co oznacza nudy. Siedzi w opustoszałej redakcji i wpatruje się w monitor. Czy ktoś dziś umrze? Ktoś sławny? Nic przyjemnego, trzeba przygotować notatkę, czasem nawet zadzwonić i potwierdzić wiadomość, Witek nie miał jeszcze tej nieprzyjemności, ale za każdym razem, kiedy zostaje na dyżurze, oczekuje w napięciu, że teraz, zaraz. Ale nie, nigdy nie dzieje się nic.

Witek należy do fejsbukowego klubu śmierciożerców, tajnej grupy obstawiającej zgony celebrytów. To taki konkurs, którego zasady są dość proste. Na początku roku każdy śmierciożerca ma za zadanie opublikować pięćdziesiąt nazwisk znanych ludzi, a potem, cóż, czeka się, aż czas albo los zrobią swoje. Za każde trafione nazwisko dostaje się punkty, tym więcej, im młodsza była ofiara mrocznego kosiarza. Witek w tym roku zarobił całe pięćdziesiąt jeden punktów, trafnie obstawiając Whitney Houston.

Złoty strzał, zagłosował na nią tylko dlatego, że nienawidzi piosenki *I Will Always Love You*, przypomina mu szkolną dyskotekę, którą całą przestał pod ścianą, wstydząc się podejść do Karoli i poprosić ją do tańca. A kiedy wreszcie się zdecydował, chwilę przed tym, jak prowadzący odpalił kasetę z wolnym przebojem Whitney, Karola powiedziała: „Dziękuję, ale nie tańczę", chociaż, widział to przecież, przetańczyła cały wieczór z koleżankami.

Wrócił pod ścianę, a potem szedł domu, z kolegą z klasy, który niby miał dziewczynę, ale ciągle go wystawiała, bo zajęta to tym, to tamtym, te wspólne samotne powroty z dyskoteki w końcu stały się ich małą, znienawidzoną tradycją. Miał wtedy jeszcze włosy, i kiedy dziś ogląda stare zdjęcia, uznaje, że był całkiem przystojny, ale jak większość nastolatków nie zdawał sobie z tego sprawy. A teraz patrzy w lustro i widzi siebie okradzionego z młodości przez takie panny jak Karola, która nie chciała z nim tańczyć.

„Karola nie ma w domu talerzy, bo dom talerzy jest zamknięty", mija codziennie taki napis w drodze do pracy, jedno z najstarszych graffiti w mieście. Kiedyś próbował przeprowadzić dziennikarskie śledztwo i znaleźć sens w tych dziwnych słowach, krążyły różne legendy, że „dom talerzy" to nazwa squatu, że autor napisu został zwinięty przez milicję, nie doszedł wciąż do prawdy. Wie, że chodzi o jakiegoś Karola, nie o Karolinę, ale i tak nie może odgonić się od myśli o tej niemądrej dziewczynie, która nie chciała tańczyć. Witek zastanawia się, czy te ataki nostalgii, których dostaje, jakby były uderzeniami gorąca, to zwiastun nieuchronnie nadciągającego kryzysu wieku średniego. Czy zamieni się w kogoś takiego jak tych dwóch starszych kolesi z Warszawy, którzy przyjechali na festiwal i poszli wyrywać młodzież w klubie? Ciemne zwierciadło, przefazowane o dekadę. Wzdryga się.

Nudy, nic się nie dzieje, a nawet jak się dzieje, to i tak nikogo to nie obchodzi, myśli Witek, rozbrajając pole minowe w Saperze. UFO mogłoby wylądować w parku i nikt by się nie przejął. Witek nie wie, że w życiu zagrał w Sapera ponad dziewięć tysięcy razy. To jakiś miesiąc życia zmarnowany na głupią grę.

Biurko drży od wyciszonej komórki. Witek dostaje esemesa. Czyta, uśmiecha się.

CZĘŚĆ CZWARTA

Vesti la giubba e la faccia infarina
– Ruggero Leoncavallo, *Pagliacci*

76. SKINSUIT

Ludzie w ogóle nie zwracają uwagi na twoje nieistnienie. Mruk z osiedlowego sklepu, konduktorka w pociągu, turyści na berlińskim dworcu. Pulchna asystentka z Naughty Dragon's Dungeon. Poznaje cię.

– Wiedziałam, że wrócisz – mówi po angielsku.

Jest dziś ubrana w krótką niebieską chińską sukienkę z bufiastymi ramiona i białe buty sięgające do połowy łydki. Kucyki zamieniła na symetryczne koczki ozdobione białymi wstążkami. Mała, czarna, okrągła torebka z czerwoną gwiazdą, w ręce trzyma białego iPada.

– Skąd?

– Poznałam po oczach. Skinsuitami interesuje się specjalna klientela.

– Rozumiem – mówisz, chociaż wcale nie rozumiesz.

– Proszę za mną – obraca się na pięcie i prowadzi w głąb sklepu, przechodzi obok wyeksponowanego manekina i otwiera niewidoczne drzwi. Idziesz za nią.

W przeciwieństwie do reszty sklepu pokój jest mocno oświetlony. Białe ściany i wielkie szafki.

– Mam na imię Sophie – rzuca mimochodem. Wymawia imię bardziej po francusku niż niemiecku.

– Miło mi poznać, Sophie.

– Ty pewnie jeszcze nie wiesz, jak się nazywasz?
– Nie.
– Nie martw się, poradzimy coś na to.
Kiwasz głową.
– Do każdego skinsuita dołączamy, oczywiście opcjonalnie, moduł osobowości – mówi i wyciąga z szafki odtwarzacz mp3 połączony ze słuchawkami i nieprzezroczystymi okularami – programowany tym urządzeniem do hipnozy. Za pierwszym razem potrzeba jakichś ośmiu godzin, we śnie.
Podchodzi kolejno do sześciu szafek i je otwiera. W środku są skinsuity.
– Oferujemy sześć zestawów, kostium plus osobowość. Zostały przygotowane zgodnie ze wzorcami typowych współczesnych osobowości, tak, aby ułatwić adaptację – tłumaczy Sophie. – Dwie płcie biologiczne, do każdej po trzy rangi, alfa, beta i meta. Dominująca, uległa i alternatywna, spoza układu siły.
Kiwasz głową. Sophie prezentuje poszczególne modele, zerkając czasem na ekran tabletu.
– Każdy ma nazwę kodową zgodnie z płcią i rangą. „Joey" – mówi to, robiąc cudzysłowy palcami – samiec alfa, uwodziciel, przystojniak. „Ross", samiec beta, intelektualista, monogamista. „Chandler", meta, błazen, dusza towarzystwa.
Oglądasz powieszone w szafkach skóry, a Sophie pokazuje dziewczyny, jak wielkie lalki Barbie.
– „Rachel", alfa, ponętna, wyższa klasa, uptown girl – nuci Sophie. – „Monica", beta, idealna Hausfrau. „Phoebe", alternatywna, szalona, artystka.

– Mogę dotknąć?

– Proszę, nie krępuj się.

Gładzisz Rachel po dłoni, jej skóra sprawia wrażenie prawdziwej.

– To co będzie? – pyta Sophie. – Powiedz, o czym marzysz, a damy ci możliwość realizacji marzeń. Jesteś dziewczyną czy chłopakiem? Przepraszam za pytanie, w dzisiejszych czasach to takie konfundujące. Zresztą to nieważne, kim jesteś. Ważne, kim chcesz być.

– Nie wiem. Nie wiem, kim jestem, nie wiem, kim chcę być.

Sophie sprawia wrażenie, że miała już do czynienia z trudnymi klientami. I że wie więcej, niż mówi na głos.

– Proponuję zatem opcję Test Drive. Weź Joeya i Rachel, przyda ci się trochę pewności siebie. Opcja wynajmu na tydzień, drugi skinsuit za pięćdziesiąt procent ceny i rabat na przyszłość, z tą kartą – wyciąga z torebki kartonik do zbierania pieczątek, bierzesz go i wkładasz do portfela.

Smyra ekran iPada i pokazuje ci wynik.

– Razem wyszłoby tyle. Plus kurier.

– Ok – zgadzasz się.

77. LATO W MIEŚCIE

Pierwszy dzień szkoły. Pierwszy taniec. Pierwszy raz, szesnaście lat. Dziewczyny z liceum, dziewczyny ze studiów. Matura zdana dzięki młodej nauczycielce biologii. Jak miała na imię? Rozpływa się w fantasmagorii. Biurowe romanse, szybkie numerki i noce namiętności. Wszystkie te chwile przelatują ci przez mózg niczym film w obliczu śmierci.

Telefon budzi cię po ośmiu godzinach. Wyciągasz z uszu słuchawki, zdejmujesz okulary. Nocna sesja z Joeyem zakończona. Zgodnie z instrukcją odpaliłeś ją, mając już na sobie skinsuit.

W torbie koło łóżka leżą ciuchy Joeya, które kurier przywiózł razem ze skinsuitem. Zakładasz szorty, designerskie dżinsy i koszulkę polo. Przeglądasz się w lustrze. Nieźle! Dotykasz włosów, są jak prawdziwe.

Zbliża się południe, postanawiasz pokręcić się po mieście, upolować jakieś śniadanie, a może od razu obiad, może przy okazji obczaisz jakieś turystki?

Życie zaczyna się po zmroku, gdy zapełniają się kluby. Lato w mieście, nocą to jest inny świat, trzeba tylko wyjść i znaleźć sobie dziewczynę. Klub jest ich pełen, tyle samotnych lasek, szwedzki stół, wybierać, przebierać, słomiane wdowy z mężami na wakacjach w wirtualnym świecie, panny z krótkim terminem przydatności do spożycia. A im bardziej im się przyglądasz, tym mniej robią się ciekawe. W kupie wyglądają atrakcyjnie, tyle dziewczyn naraz, każda z osobna traci na powabie.

Oczy płoną w ciemnościach, w powietrzu czuć nastrój oczekiwania. Wchodzisz albo wychodzisz, nie ma trzeciej drogi.

– Cze-eść – słyszysz nagle dwa głosy. Odwracasz się i widzisz Asie. Poznały cię? Niemożliwe, po prostu wykazują inicjatywę.

– Hej, jak się macie?

– Doskonale – odpowiada jedna z Aś – tylko trochę chce nam się pić, wiesz.

– Och, gdzie moje maniery – puszczasz oko i nie tracąc rezonu, składasz zamówienie, ich ulubione drinki z palemką, co robi wrażenie na obu.

A potem przerzucacie się cwanymi tekstami, gra taka, kto kogo przecwaniaczy, mają przewagę liczebną i doświadczenie, były tu już i wróciły po więcej, mistrzynie sceny, znają początek i koniec tej gry. Pijecie i tańczycie, i nachylasz się do Asi, szepcząc jej coś wprost do ucha, żadnych obietnic i żadnych żali, sam nie wiesz co, inaczej się nie da w tym zgiełku, trochę za dużo tego jak na pierwszy raz, czujesz, że jednak przeholowałeś, z alkoholem i emocjami, więc ewakuacja, ale nie palmy za sobą mostów, nie, wszystko fachowo, z obietnicą, że jeszcze się spotkacie i żeby trzymały się tej myśli, i wiesz, że tak będzie.

BATMAN
ZBAWICIEL

78. MIŁOŚĆ TO BURŻUAZYJNY KONSTRUKT

Chłodne wieczorne powietrze nieco cię cuci, ale nie ma co wracać, starczy na dzisiaj, kierunek – dom. Schodzisz do przejścia podziemnego i – faken szyt, jackpot – nie wierzysz własnym oczom.

– Cześć, jak się masz? – rzucasz nonszalancko.

– Cześć – odpowiada niezrażona. – Znamy się?

– Tylko ze snów.

– Och, zaraz spąsowieję. Przydaj się lepiej na coś i stań na czatach.

– Nie ma sprawy.

Stajesz na czatach, uważnie rozglądając się we wszystkie strony, a Lisbeth w tym czasie dokańcza sprajem renowację zniszczonego napisu „Chcemy Dać Wam Papu". I wtedy, gdy brakuje jej ostatnich dwóch liter, słyszysz kroki na schodach i widzisz wyłaniający się zza winkla patrol policji.

– Chodu! – krzyczysz, łapiesz Lisbeth za lewą rękę, trudno, przedostatnia litera będzie krzywo, z nerwowym maziajem, a ostatniej nie będzie wcale, ciągniesz ją za sobą po schodach, zdezorientowana szybką akcją dziewczyna poddaje się, ale po chwili odzyskuje rezon i wyrywa dłoń z twojej dłoni.

– Nie tak szybko!

– Och, wybacz, królewno!

Chowacie się na placu zabaw pobliskiego przedszkola, lekko zdyszani, rozglądasz się, nigdzie nie widać policji, nie wiesz nawet, czy w ogóle za wami biegli. Pochylona Lisbeth opiera dłonie na kolanach – zaglądasz jej w dekolt czarnego T-shirta z obciętymi rękawami – i gdy tylko uspokaja oddech, zaczyna się śmiać.

Noc jest ciepła.

– Co teraz? – pytasz.

– Może seks? – dziewczyna wciąż się śmieje.

– Seks?

– Tak, powinniśmy pójść uprawiać seks bez zobowiązań – mówi Lisbeth, już całkiem poważnie.

– Dosko – mówisz. – U mnie czy u ciebie?

– Zapraszam, nie mam dziś ochoty poznawać nowych miejsc.

Nie pyta cię o imię, a ty nie pytasz jej, jedziecie w milczeniu nocnym autobusem, myślisz, o co można by ją zagadać, ale nic sensownego nie przychodzi ci do głowy.

Małe, dwupokojowe mieszkanie, sypialnia i salon z otwartą kuchnią. Spodziewałeś się co najmniej squatu, a tu jest całkiem schludnie i przytulnie. Na półce szafki z Ikei stoi kolekcja małych kucyków z McDonalda, pewnie należąca do sublokatorki.

Lisbeth zzuwa sandały i idzie do kuchni napić się wody.

– Chcesz czegoś?

Nie odpowiadasz, stajesz za nią i przytulasz się do jej pleców, całując w kark, dotykasz ramion, dłoni, badasz kształt bioder, osłoniętych wciąż podwiniętymi do kolan czarnymi bojówkami, Lisbeth poddaje się twojemu dotykowi, opiera rękami o blat, pozwala, żebyś zbłądził pod T-shirt, nie ma na sobie stanika, i poznał jej małe piersi, masujesz je delikatnie, wyczuwasz kolczyki w sutkach. Lisbeth odwraca się i wpija z całej siły w twoje usta, potem pomaga uwolnić ci się z koszulki i przejmuje inicjatywę.

Dopiero po wszystkim, gdy po eksplozji dzikiej namiętności przychodzi łagodne zmęczenie i leżycie w barłogu skotłowanej pościeli i ubrań, paląc papierosy, masz okazję nacieszyć wzrok jej bezwstydną nagością, bawisz się w połącz kropki kolczykami i podziwiasz tatuaże, niektóre zadziwiająco dziewczyńskie, Twilight Sparkle i Czarodziejka z Księżyca.

– Bez zobowiązań? – pytasz.

– Tak ustaliliśmy – odpowiada, wypuszczając kółko z dymu. – Wyjdziesz rano i już nigdy się nie spotkamy, zapewne.

Zbliżasz twarz do jej twarzy i kiedy odsuwa dłoń z papierosem, całujesz ją łapczywie, za te wszystkie chwile, które nie nadejdą.

– Trochę szkoda, wiesz, brakowało mi w życiu takiej, hm, radości.

– Potrzebujesz nowego narkotyku.

– Miłość to narkotyk. Najlepszy.

– Miłość to burżuazyjny konstrukt.

Odwraca się plecami. Podziwiasz sinusoidę jej sylwetki, gładzisz ją płynnym ruchem dłoni, od ud po ramiona, i wtedy, pomiędzy perfekcyjnymi łopatkami dziewczyny, dostrzegasz zamek skinsuita.

Model „Phoebe".

79. LAURA

Pierwszy dzień szkoły. Pierwsza miesiączka. Pierwszy taniec. Pierwszy raz, siedemnaście lat. Chłopcy z liceum, chłopcy ze studiów. Faza eksperymentów z dziewczynami. Mężczyźni. Biedni i bogaci. Przystojni i zdesperowani. Bawisz się nimi jak lalkami. Wszystkie te chwile przepływają przez ciebie niczym fale, aż budzisz się na dźwięk budzika, dziwnie podekscytowana, głodna życia.

Lustro nie kłamie, jesteś piękna, nie wprost, nie tanią urodą wystrzałowej laski, ale w taki zagadkowy sposób, który sprawia, że twoje piękno uderza obserwatora wraz z drugą myślą, z zaskoczenia, pozostawiając bez szans. Tak jak teraz, gdy siedzisz przy barze i sprawdzasz, jakie wrażenie robisz na facetach.

– Od tamtego pana – mówi barman, podając ci drinka z palemką, i wskazuje głową na łysego kolesia.

– Och, och – mówisz i wznosisz toast w stronę darczyńcy. To go zachęca do podejścia bliżej.

– Cześć, jestem Witek.

Odruchowo przeczesujesz włosy prawą dłonią, odsłaniając ucho i zgrabną szyję. Czujesz, jak Witek na chwilę traci oddech.

– To ładnie.

Witek patrzy wyczekująco. Niech chwilę poczeka.

– Laura – podajesz mu dłoń.

Witek zaczyna gadkę. Start ma gładki, potem potyka się na sucharze, który odpierasz westchnięciem i przewróceniem oczami, wstanie niewzruszony i napiera dalej, ambitny człowiek, i doświadczony, trenował ten scenariusz pewnie niejeden raz, przed lustrem i przed dziewczętami.

Kilka kolejek i piosenek później czujesz się rozprężona i głodna, wynagradzasz więc Witka za jego starania i gdy niezdarnie próbuje zsynchronizować się z twoimi kocimi ruchami na parkiecie, znienacka całujesz go w usta, obejmując nogę, jest zdziwiony, ale reaguje prawidłowo.

Nie chcesz czekać dłużej, szepczesz mu do ucha „chodź ze mną, teraz", i ciągniesz go za sobą, żeby tylko nikt nie zobaczył, do damskiej toalety, czujesz, że lekko się waha, do wolnej kabiny, dobierasz się do niego, ale wtedy łapie cię za dłoń i kręci głową.

– Przepraszam, nie tak to sobie wyobrażałem. Nic z tego nie będzie, nie tutaj, nie tak, przepraszam.

I ucieka.

80. RED PILL

Wracasz do domu, piechotą, gdy miasto budzi się ze snu. Mało pamiętasz z tej nocy pełnej przygód.

W podziemnym przejściu widzisz znajomą sylwetkę. Olivier trzyma pod pachą ultrabooka Mac Air i wpatruje się smętnie w dziurę po dead dropie.

Podchodzisz, poprawiając machinalnie włosy, i pytasz:

– A co tu się stało?

Olivier odpowiada po sekundzie, ocknąwszy się z otępienia.

– A, łobuzy jacyś, wandale – lustruje cię wzrokiem i coś mu nie gra. – Czy my się znamy?

– Olivierze, Olivierze – mówisz kpiąco-karcącym tonem – tak szybko mnie zapomniałeś?

Patrzy ci prosto w oczy i powoli załapuje.

– Och, och! To ty! – ekscytuje się. – To skinsuit!

– Cicho sza! – denerwujesz się, że ktoś usłyszy, ale za chwilę z dumą pokazujesz mu swoje piękne ciało, obracasz się, pozwalając, by obrót wzbił klosz sukienki do góry, odsłaniając nogi.

– Niesamowite! – cieszy się. – Powinniśmy o tym pogadać.

– Cudownie, ale nie teraz, teraz idę spać. Sama – ziewając, zasłaniasz się pantomimicznie.

– Zjedzmy razem obiad – proponuje Olivier – u mnie, wieczorem.
– Z przyjemnością.
– Jesz mięso? – upewnia się.

– Eskalopki w sosie kurkowym – mówi, krzątając się po nowoczesnej kuchni w sterylnym mieszkaniu, które wynajmują z siostrą, gdy mają sprawy w Polsce, opowiada, nieszczęśliwy, że zostali rozdzieleni przez obowiązki. – Cecylia siedzi w centrali i pilnuje wszystkiego przed premierą – miesza w garnku. – Zobaczysz, billboardy z Wiewiórką Wandą. Okładki magazynów. Terapia szokowa. Świat jest na nią gotowy, nawet jeśli sam o tym nie wie. Chcesz zobaczyć prewki?

Siedzisz na stołku przy barku i pijesz wino, kręcisz kółka stopą.

– Nie chcę rozmawiać o Zuzie – mówisz powoli.
– O? Co się stało? – pyta, jakby nie zrozumiał.
– Życie się stało.

Olivier szybko zmienia temat,
– Siadaj do stołu, już nakładam.

Jedzenie jest pyszne. Olivier cieszy się, że ma dla kogo gotować, kiedy nie ma Cecylii, nie chce mu się, dla jednej osoby nie warto, mówi.

Przy deserze, przepysznym, pyta o skinsuit.

– Próbujesz wyścignąć trendy? Furrysi zaraz będą łysi, co? – śmieje się Olivier.
– Obudziłam się pewnego dnia i – nie wiesz, jak to ubrać w słowa – po prostu poczułam, że nie mogę bez niego żyć.

Olivier poważnieje.
– Och, złapałaś redpilla, co?
– Co takiego?
– To taka choroba. Psychiczna. Może choroba to za mocne słowo. Zaburzenie, jak melancholia. Redpill, czerwona pigułka, nazywają ją. Nieoficjalnie, bo oficjalnie niczego takiego nie ma. To termin z *Matrixa*. Pamiętasz, jak Neo miał do wyboru dwie pigułki, czerwoną i niebieską – Olivier mówi jak karabin maszynowy, nawet gdy nie ma z nim siostry.
– I wybrał czerwoną.
– I wybrał czerwoną, i się przebudził. Ale co by było, gdyby nie istniał żaden prawdziwszy świat? Gdzie by się obudził?

Budzisz się w swoim mieszkaniu, obok zmiętolonego koca pachnącego Zuzą. Wstajesz i szukasz jej wszędzie, poranne słońce oświetla pokój, nie ma jej w łazience, na biurku leży jej torebka, kurteczka przewieszona przez oparcie krzesła. Otrząsasz się ze wspomnienia, a może snu, trwa to ułamek sekundy, i odpowiadasz Olivierowi niepewnie, pytaniem.
– Nigdzie?
– Aha, ale nie można być nigdzie, więc zostają tu. Widzą pustynię nierzeczywistości. Słabość więzi. Przestają wierzyć – w siebie, w świat, ale rzeczywistość...
– Rzeczywistość to jest to, co nie znika, kiedy przestajesz w nią wierzyć – recytujesz z pamięci słowa naćpanego proroka.

– Mądra dziewczynka. Tak właśnie. Co z tego, że my w coś nie wierzymy? W pewnym sensie to inni wierzą za nas.

– A kiedy w nas nikt nie wierzy, to znikamy? Jak Kapitan Planeta bez Planetarian...

– Kto...? – dziwi się Olivier, ale zaraz zaskakuje. – Ach, tak, dokładnie tak.

– I nikt z tym nic nie robi?

– Ależ robi, stąd ta cała nasza inżynieria rzeczywistości. Generowanie sensów, przygotowanie przebrań, incepcja ideologii.

Upijasz łyk wina, próbując wydobyć jakiś sens z tych słów. Olivier wydaje się być bardzo pewny siebie.

– To co się ze mną stało?

– Raz na jakiś czas ktoś rozpada się doszczętnie, tak jak ty. Ale to naprawdę rzadkie przypadki. I zwykle dochodzi do jakiejś karmicznej regulacji.

Karma. Znów o niej mówi.

– Karmicznej?

– W sensie połączenia między ludźmi. Żaden człowiek nie jest wyspą, mówi się – tłumaczy Olivier – i to jest najważniejsza rzecz, jaką wiemy o człowieku. Nie składamy się z komórek i atomów. To tylko powłoka. W środku, nasze dusze, nie w chrześcijańskim sensie, chociaż jeśli jesteś chrześcijanką, to nie szkodzi...

– Jestem porządną katolicką dziewczyną!

– Nie szkodzi! – śmieje się Olivier. – Ważne jest to, że ta dusza składa się z cząstki każdego człowieka, którego spotkałaś na swojej drodze. I tak samo oddajesz część siebie każdemu, kto spotkał ciebie.

Jesteś w połowie kieliszka.

– Żaden człowiek nie jest wyspą, co? – nagle przerywasz mu drwiąco, nie wiesz sama dlaczego, ale zaczyna cię denerwować ta zdecydowana pewność siebie Oliviera. Prychasz znudzona. – Banały i morały! To ma mi pomóc? Nie potrzebuję takiej pomocy.

Olivier wydaje się zbity z tropu tym nagłym oporem, jakbyś popsuła mu przygotowany wcześniej wykład, ten moment w filmie, kiedy wszystko się wyjaśnia.

– Olivierze, Olivierze – uśmiechasz się – nie musisz przede mną udawać, nie jestem waszą klientką, której sprzedajecie receptę na wszystko, to przekonanie, że wiesz, jak działa system, że masz uniwersalny klucz, Świętego Graala, wrażenie, że ma się nad czymkolwiek kontrolę.

– Robimy, co możemy – mówi spokojnie, bez cienia urazy.

– Nie jestem jedną z tych twoich Najdżelów, nie masz dla mnie żadnego planu, żadnego scenariusza – sama się dziwisz swoją zaprogramowaną pewnością siebie. Rachel, samica alfa. – Bo ja w to nie wierzę, bo widzę to kartonowe miasto, które budujecie.

Teraz uśmiecha się Olivier. Wyciąga rękę i dotyka twojego policzka.

– Zastanawiałaś się, dlaczego skinsuity mają tak widoczne zamki? – pyta, kreśląc palcem hiperbolę twojej twarzy. – Przecież to bez sensu, nie? Bleeding edge tech, cholerne japońskie nano i nie mogą schować głupiego zamka.

Łapiesz go za dłoń, ale od razu puszczasz. Cofa ją, lekko spłoszony, ale opowiada dalej.

– On jest w tym wszystkim najważniejszy, ten zamek. On jest częścią fetyszu. Nie ma niczego podniecającego w idealnej imitacji, dopiero kiedy masz ten element, na którym możesz zaczepić... – sięga po iPhone'a i chwilę czegoś szuka, wreszcie znajduje i podaje ci telefon. – Zobacz.

Okładka pierwszej płyty Fuck Androids, czarno-białe, vintage'owe zdjęcie długowłosej dziewczyny w samych stringach, zasłaniającej piersi rękoma opartymi na kolanie. Patrzy zza ramienia prosto do kamery, a z pleców wystaje jej wielki klucz do nakręcania mechanicznych zabawek.

– Nakręcany orangutan – mówi Olivier. – Wszyscy jesteśmy zabawkami w mieście z klocków Lego.

Oddajesz mu iPhone'a.

– Ja nie rozumiem świata, ja go tworzę – kontynuuje Olivier. – Tworzymy. Wiem, co się zdarzy za rok albo dwa lata nie dlatego, że jestem taki przenikliwy, tylko dlatego, że wiem, co zostało zaplanowane. Bo, mam takie szczęście, przy tym byłem. Te furrysy to żaden spontan, żaden cud przypadku. Te decyzje zapadły dawno temu. Moda jest zaprogramowana. Jak myślisz, ile czasu trzeba na wypuszczenie animowanego serialu o kucykach? Wyprodukowanie zabawek?

Oni wcale nie wygrali żadnej wojny kulturowej, uświadamiasz sobie. Nigdy nie było żadnej wojny. Przypominasz sobie Zuzę, jej załamanie i wyrzuty sumienia. Czuła się, jakby ukradła coś furrysom, coś autentycznego. Uświadamiasz sobie, że nawet nie znasz żadnego prawdziwego furrysa, tylko ludzi przebierających się za nich.

– To nie jest film, w którym ratujesz świat – mówi Olivier, patrząc w zaczerwienione dno kieliszka – ale wciąż możesz uratować siebie.

– Jak? – pytasz odruchowo, trochę na siebie za ten odruch zła.

– Zaprogramuj się od nowa. Sama. Zbuduj coś dla siebie. Zacznij żyć własnym życiem.

– Poradnik pozytywnego myślenia? – kręcisz głową. – To wszystko, co masz?

Olivier uzupełnia kieliszki. Przez chwilę pijecie wino w milczeniu.

– Chcesz zapalić? – pyta.

Noc jest ciepła. Z balkonu widać panoramę miasta. Samotny wieżowiec telewizji.

– Wyjadę do Nowego Jorku – decydujesz się nagle – nasza korpo ma tam oddział. Szukają kogoś do koordynacji tych multinarodowych projektów, tylko wcześniej nawet o tym nie myślałam, wiesz, myślałam, że Nowy Jork nie istnieje. To tak jak ja, nie? Równie dobrze mogę nie istnieć w mieście, którego nie ma.

Olivier bije ci brawo, nieironicznie. Uśmiechasz się, wypuszczając dym.

– Nie musisz wiedzieć, kim jesteś – mówi. – Najwspanialsi ludzie, jakich poznałem w życiu, wciąż nie wiedzą, kim są.

Wracacie do środka. Olivier podchodzi bliżej i, pozwalasz mu, ściąga z ciebie sukienkę. Znajduje suwak i uwalnia cię ze skinsuita.

Podoba mu się to, co widzi.

81. KLUB WINOWAJCÓW

Spotykasz ją któregoś dnia, w wigilię tego, w którym opuszczasz miasto, kiedy wraca o poranku, z potarmoszonymi włosami po nocy pełnej przygód. Idziesz właśnie na śniadanie, proponujesz, żeby się przyłączyła, chętnie się zgadza.

– Co tam słychać? Straciliśmy kontakt – Asia znad kawy i jajecznicy serwuje oczywistość.

– Urlop, wiesz, trochę wolnego od wszystkiego.

– I każdego.

– Czasem trzeba samotności, żeby trochę się pozbierać.

– Uhm, pewnie tak, może też by mi się przydało.

Gryzie świeżą bułkę z masłem.

– Wyjeżdżam jutro – zdradzasz jej swoje plany.

– Na długo?

– Na razie na rok, a potem zobaczę. Pewnie na zawsze.

– Och – wzdycha Asia, gdy dociera do niej, że nie mówisz o delegacji, tylko o wyprowadzce.

– A u ciebie co nowego? Jak życie? – pytasz, zanim zacznie drążyć.

– Widzisz, jest Asia, jest zabawa.

– Ha ha.

– Skończyłyśmy z Cysiem – mówi nieco ciszej i nieco innym głosem. Brzmi to, jakby jego zwłoki miały wypłynąć za tydzień gdzieś na piaszczystym brzegu Odry.

– Musiało mu to złamać serce.

– Wątpię, żeby w jego wieku człowiek już miał serce.

– A ty?

– Ja? Nie wiem, czy w moim wieku jeszcze ma się serce.

– Ha ha.

Sobota, pusto. Ktoś zapija kawą „Gazetę Wyborczą".

– Co u – wahasz się – naszych znajomych?

– Zuza to wiadomo, nie – wzdycha Asia. – Chwilowo zawiesiła życie towarzyskie.

Nadal nie chcesz o niej rozmawiać. Patrycja miała rację. Boli.

– Wiktor? Patsy?

– A we-eś, wygłupiają się, że żal – macha rękami Asia, aż kawałek jajecznicy spada jej koło talerza – on wciąż orbituje wokół tej całej, jak jej było...

– Agata.

– Agaty. Śmieszne, znałam kiedyś jedną Agatę i była gruba, myślałam wtedy, że wszystkie Agaty są grube...

– Ha ha.

– Ha ha, wiem, bez sensu.

– A co Patrycja na to?

– Nie wolisz się z nimi spotkać?

– Nie, widzisz, to skomplikowane – tłumaczysz.

– Aha – przyjmuje do wiadomości Asia. – Patsy wciąż cierpliwie czeka, bo wiesz, ona rozumie, tę żałobę, opowiedziała nam wszystko, ze szczegółami. Ale na mój gust, jeśli chcesz znać moje zdanie?

– Chcę, chcę.

– Nie widzę tego w ogóle. Nie wierzę, że coś z tego jeszcze będzie. Do tego znalazła w empiku to pisemko z opowiadaniem Sławka, pamiętasz Sławka, tego jej eks, niby pisarza? No i przeczytała, i strasznie ją poruszyło. Nawet mi pokazała, wiesz, faktycznie niezłe, trochę się zdziwiłam, że taki buc, bo z niego zawsze był buc pierwszej klasy, że w nim tyle... tyle... takiego, wiesz...?

– Człowieka.

– Tak.

Asia chwilę milczy, myśląc o czymś intensywnie.

– Nie podoba mi się to wszystko – mówi wreszcie – ale dorośli są, wiedzą, co robią, nie?

– Co poradzisz – wzruszasz ramionami. – To ich życie, muszą je przeżyć każde za siebie. Wszyscy musimy.

To nie jest odpowiedź na jej pytanie, ale nie masz lepszej.

I kiedy na drugi dzień siedzisz w samolocie Lufthansy na berlińskim lotnisku, obserwując brodatego dziwaka podbierającego skarpety z klasy biznes, który potem zajmuje miejsce z twojej prawej strony, myślisz o słowach Asi, które zostawiła na pożegnanie. Już nigdy się nie spotkacie, pozostanie w twojej pamięci taka nagle zasmucona, potargana, nad talerzem umazanym resztkami jajecznicy, ostatni obraz z tamtego życia.

– Wszystkie te chwile przepadają w czasie i niczego się z nich nie uczymy.

82. NAJGORSZY DZIEŃ W ŻYCIU

ANDRZEJ siedzi na ciasnym fotelu i zerka przez małe okienko samolotu. Dostrzega w nim swoje odbicie i odruchowo poprawia grzywkę zasłaniającą cofnięte czoło. Odpina górny guzik białej koszuli ze stójką i wzdycha.

Jeśli Andrzej miałby zrobić sobie listę top five najgorszych dni w życiu, to ten byłby jednym z nich.

Nawet nie chodzi o to, że nie lubi latać, bo chyba nikt nie lubi. I nawet nie jest tak źle, myśli Andrzej, machinalnie gładząc wąsy, miejsce przy oknie. Gorzej, że obok siedzi brodaty grubas, który się wierci i nie umie zachować. Andrzej jest prawie pewien, o kurwa, że gościu przejechał sobie ręką po twarzy, od nosa aż we włosy, fuj. A wcześniej, Andrzej mógłby przysiąc, był podpierdolić skarpety z klasy biznes.

Andrzej mógłby siedzieć w klasie biznes, bo nie leci do Stanów dla przyjemności, ale nie doszedł do tego, co dziś ma, szastając pieniędzmi i wyrzucając kasę w błoto. To jest problem z młodzieżą, myśli Andrzej, chcieliby te swoje iPady od razu, zamiast oszczędzać, myśleć o przyszłości. Sam ma prosty smartfon Nexus 6 z androidem, który dostał w ramach korzystnego, dokładnie przeanalizowanego abonamentu na firmę.

Brodacz rozmawia z kimś, kto siedzi z lewej strony, Andrzej nie widzi z kim, zresztą, mało go to obchodzi, słyszy tylko donośny głos brodacza, który mówi po angielsku, z silnym słowiańskim akcentem. Pewnie Rusek. I pisarz. Science fiction. Wygląda jak jeden z typków, których Andrzej w młodości spotykał na konwentach, kiedy jeszcze miał czas na czytanie. Teraz nie ma czasu, teraz ma biznes i do wszystkiego podchodzi z pytaniem „ale ile można na tym zarobić?".

Brodacz przeżuwa właśnie jakąś kwestię i wyrzuca z siebie myśl.

– Ale co, jeśli przeciwieństwo jest prawdą i burżuazyjny konstrukt jest miłością?

I wpada w monolog. Andrzej łapie szybko za słuchawki i włącza usługę ListenRelax na terminalu umieszczonym w fotelu przed nim, żeby nie słuchać tego pierdolenia. Wybiera coś na chybił trafił z tej nieprzyjemnie obcej biblioteki muzycznej, jakiś smooth jazz na dobry sen, i zamyka oczy.

Myśli o wieżowcach Manhattanu i jednym z najgorszych dni w swoim życiu, kiedy samoloty porwane przez terrorystów wbiły się w wieże WTC.

Przez ostatnie jedenaście lat niewiele razy wracał ze wstydem do tego dnia, w którym CNN nadawała bezpośrednią relację z końca zachodniego świata. Dnia, w którym siedział przed telewizorem i dygotał ze strachu. Ale nie myślał o płonących żywcem ludziach, tylko drżał z przerażenia, że spadek na giełdzie i odwołane targi specjalistycznych podzespołów zrobią z niego bankruta.

Był to jedyny raz, kiedy Andrzej poczuł, jak niewiele od niego zależy, że wbrew wszystkim swoim zasadom i przekonaniom nie zawsze będzie miał kontrolę. Że może nie bać się kryzysów, bo umie grać na spadek, że może sobie jeść zdrowo (systematycznie przez lata eliminował z diety mięso i gluten), ćwiczyć codziennie i unikać dzięki temu lekarzy i zależności od złodziejskiego ZUS-u, że może podejmować same dobre decyzje i przekuć swoje zdolności inżyniera w niewielki, ale lukratywny interes, że może wiedzieć wszystko lepiej, gdyż jest po prostu przenikliwym spryciarzem... ale że kiedyś znów nadejdzie dzień, kiedy jakiś terrorysta zburzy jakieś wieże i jego mały świat zawali się razem z nimi. Chaos. Andrzej boi się tylko chaosu.

Dręczą go te myśli w marach sennych, wbrew wysiłkom Stinga i Diany Krall, żeby zesłać spokojny sen.

Andrzej budzi się na obiad i odkłada słuchawki, przez co słyszy, jedząc swoje wegejedzonko, jak brodacz obok mruczy pod nosem:

– Degeneraci, degeneraci, wszyscy zamienicie się w małpy.

EPILOG

KONIEC ŚWIATA

W sobotę 22 grudnia 2012 roku Patrycja budzi się o świcie i wciąż pamięta miłość. Zadowolona przewraca się na drugi bok i zasypia.

Ale to już nie jest twoja historia.

PODZIĘKOWANIA

Dziękuję wszystkim, bez których ta książka by nie powstała. Ani, Davidowi i Maćkowi – za to, że podpowiedzieli mi, jak pisać. Rodzinie i przyjaciołom – Ani, Edwardowi, Gosi, Grzegorzowi, Karinie, Kasi, Kubie, Magdzie, Marcelemu, Masaki, Rafałowi, Sylwii i Wojtkowi – za słowa, rozmowy, rady, cierpliwość, wsparcie i wspólną podróż przez życie. Znajomym z internetu, nieznajomym z tramwaju, sąsiadom i dziwakom z głębin sieci.

Dziękuję wszystkim, którzy brali udział w nadaniu książce jej obecnego kształtu, przede wszystkim redaktorce Marcie Konarzewskiej i korektorce Magdzie Jankowskiej. I Jasiowi Kapeli – za to, że uwierzył w tę książkę, zanim jeszcze powstała.

Michał R. Wiśniewski, *Jetlag*
Warszawa 2014

Wydanie I

Printed in Poland

ISBN 978-83-64682-04-9

Redaktor prowadzący: Jaś Kapela
Redakcja: Marta Konarzewska
Korekta: Magdalena Jankowska

Ilustracje na okładce: Michał R. Wiśniewski
Układ typograficzny, łamanie i opracowanie graficzne: Katarzyna Błahuta

Druk i oprawa: Drukarnia Wydawnicza im. W.L. Anczyca
www.drukarnia-anczyca.pl

Wydawnictwo Krytyki Politycznej
ul. Foksal 16, p. II
00-372 Warszawa
www.krytykapolityczna.pl
redakcja@krytykapolityczna.pl

Seria Literacka, t. XX

Contents

Chapter 1
Scared to sing

Max and Zoe's class were practising in the music room.

"Next, we will hear 'The Garden Tune'," said Mrs Lewis, their music teacher.

Henry and Ruby hurried to the piano.

Max walked slowly.

"Why did I say I'd do this?" thought Max. "I'm rubbish at singing."

Henry, Ruby and Max stood next to the piano.

“All right, gardeners,” said Mrs Lewis. “Sing your best. The rest of you hum like bees.”

Quietly, Henry and Ruby began to sing. But Max couldn’t.

His mouth was super dry. The microphone slid out of his sweaty fingers.

"I'll totally mess it up tomorrow," he thought.

"Louder, trio!" said Mrs Lewis. "Come on, Max."

Henry and Ruby sang a bit louder. Max tried to sing a few words.

"They'll be cross with me tomorrow," he thought. "Everyone will laugh."

After school, Max sat by Zoe on the bus.

“I’m so nervous,” he said. “I’m going to be sick.”

“No, you’re going to practise,” said Zoe. “I’ll help you.”

Chapter 2
Practise, practise, practise

Zoe went to Max's flat after school.

"Use your comb for a microphone," she said. "Ready? Go."

Max looked at the sheet music. He began to sing. Buddy covered his ears with his paws.

"See?" said Max. "My singing is terrible."

"Go away, Buddy!" Zoe said.

Zoe lined up some stuffed animals. “Sing to them,” she said. “But first, breathe deeply five times.”

Max did, then started again.

“Louder,” said Zoe. “Pretend you’re excited to sing on stage!”

Max sang loudly but read some words wrong.

“Keep going if you mess it up,” Zoe said. “People won’t notice.”

Max practised more, but the animals didn't smile. That made Max feel extra nervous.

"I have a better idea," said Zoe. She drew pictures of smiling faces. Then she taped them to Max's wall.

Max sang and sang to the friendly faces. His breathing slowed down. He remembered the words too.

After Zoe went home, Max kept practising.

“Among the bees, we’re on our knees, we’re digging in the dirt,” he sang. “Among the bees, we’re on our knees, we’re in our gardening shirts!”

By bedtime, Max threw the sheet music away. He was ready.

Chapter 3
The trio

After lunch the next day, the concert began.

On stage, the class sang the opening songs. And then it was time for the trio.

Max's heart beat fast. He took five deep breaths. Then he picked a very friendly face to look at – his mum's.

Mrs Lewis began to play the piano. Max opened his mouth to sing.

All of the words came out, clear and strong! But Ruby and Henry weren't singing.

Max sang alone for the whole song. Everyone cheered. Max bowed.

After the concert, everyone got milk and biscuits.

"I'm sorry I messed up," said Ruby.

"Me too," said Henry.

“It’s okay,” said Max. “Everyone gets nervous sometimes. Here, have my biscuits.”

“Really? Thanks,” they said.

"Wow, Max," Zoe said. "You sang a solo!"

"I'm so proud of you, Max," said his mum.

"Thanks!" said Max. "I'm proud of me too!"

"And I think that deserves another biscuit," said Zoe.

About the author

Shelley Swanson Sateren is the award-winning author of many children's books. She has worked as a children's book editor and in a children's bookshop. Today, as well as writing, Shelley works with primary-school-aged children in various settings. She lives in Minnesota, USA, with her husband and two sons.

About the illustrator

Mary Sullivan has been drawing and writing all her life, which has mostly been spent in Texas, USA. She earned a BFA from the University of Texas in Studio Art.

Glossary

concert a show put on by singers or a band

microphone a stick-like tool that makes sounds louder

nervous fearful or timid

practice doing something over and over again to get better at it

solo a piece of music that is played or sung by one person

trio a piece of music that is played or sung by three people

Discussion questions

1. If you had to sing a solo, duet or trio, which one would you pick? Why?
2. Max learnt some tips to help him feel less nervous. What were they? List some other tips that can help you relax when you feel nervous.
3. Were you surprised by the end of the story? Why or why not?

Writing prompts

1. Max does a lot of practising. Write about something that you have practised.
2. The story introduces part of the song "The Garden Tune", Write more lines to the song.
3. Max is nervous about singing. Write about something that makes you nervous.

Make your own microphone

What you need:

- toilet-paper tube
- black card (12 cm long and 8 cm high)
- sheet of tin foil (1 metre long)
- craft glue
- scissors

What you do:

1. Glue the black paper onto the tube.
2. Cut off any extra paper. This is the mic's handle.
3. Scrunch the tin foil into a ball. Make the bottom pointy. This is the microphone.
4. Put glue inside the top of the tube.
5. Stuff the pointy end of the foil ball into the handle. The top should be a round, silver ball.
6. Let the glue dry.
7. Then grab your microphone and sing your favourite songs.

The fun doesn't stop here!

We have lots more Max and Zoe adventures for you to enjoy!

Discover more books and favourite characters at **www.raintree.co.uk**